U0239923

海外漢文古醫籍精選叢書・第三輯

2011—2020年國家古籍整理出版規劃項目
2018年度國家古籍整理出版專項經費資助項目
中國中醫科學院「十三五」第一批重點領域科研項目
——我國與「一帶一路」九國醫藥交流史研究（ZZ10—011—1）

蕭永芝◎主編

經穴彙解 壹

〔日〕原南陽 撰

25

北京科学技术出版社

圖書在版編目（CIP）數據

經穴彙解/蕭永芝主編. —北京：北京科學技術出版社，2019.1
（海外漢文古醫籍精選叢書. 第三輯）
ISBN 978－7－5714－0008－8

Ⅰ. ①經… Ⅱ. ①蕭… Ⅲ. ①針灸學—中醫典籍—彙編—日本 Ⅳ. ①R245

中國版本圖書館CIP數據核字（2018）第293403號

海外漢文古醫籍精選叢書·第三輯·經穴彙解

主　　編：蕭永芝
策劃編輯：李兆弟　侍　偉
責任編輯：吕　艷　周　珊
責任印製：李　茗
出 版 人：曾慶宇
出版發行：北京科學技術出版社
社　　址：北京西直門南大街16號
郵政編碼：100035
電話傳真：0086-10-66135495（總編室）
0086-10-66113227（發行部）　0086-10-66161952（發行部傳真）
電子信箱：bjkj@bjkjpress.com
網　　址：www.bkydw.cn
經　　銷：新華書店
印　　刷：北京虎彩文化傳播有限公司
開　　本：787mm×1092mm　1/16
字　　數：486千字
印　　張：40.5
版　　次：2019年1月第1版
印　　次：2019年1月第1次印刷
ISBN 978－7－5714－0008－8/R·2563

定　　價：**1100.00元（全2册）**

京科版圖書，版權所有，侵權必究。
京科版圖書，印裝差錯，負責退換。

海外漢文古醫籍精選叢書·第三輯

經穴彙解

壹

〔日〕原南陽 撰

内容提要

《經穴彙解》是一部專門考訂腧穴的日本醫著。江户名醫原南陽在户崎淡園所著《經穴彙解》二卷的基礎之上，搜集中國歷代醫籍及部分朝、日醫籍中有關腧穴的論述，經整理彙編，擇其精華，結合己見，詳考闡論，附以辨誤，增爲八卷刊行。原南陽所據醫學文獻，上起先秦，下迄明清，而主以《針灸甲乙經》分部别類，對腧穴的名稱、定位、經脉流注、經外奇穴等問題進行了詳盡的考證，本書作爲日本最爲重要的經穴學著作之一，對研究中日針灸學術交流亦具有較高的價值。

一　作者與成書

《經穴彙解》書首扉葉刻「南陽原先生編輯……/經穴彙解全八卷……」，自序落款題「享和癸亥仲春之日/南陽原昌克撰」，據此確定本書作者爲原南陽（昌克）。

原南陽（一七五三——一八二〇），名昌克，字子柔，通稱玄璵，南陽爲其號，書齋名叢桂亭，係常陸國水户藩（今日本茨城縣水户市）侍醫原昌術之子，爲日本江户時代中後期著名醫家。原南陽幼時跟隨父親習醫，又從舅父户崎淡園學習儒學。後游學京都，師事山脇東門研習古方，跟從賀川玄迪修習産科。安永四年（一七七五），原南陽學成東歸，居於江户（今屬日本東京）南町，以針治、按摩爲業，因治愈水户藩某老臣之疾而漸有醫名，最終成爲水户藩侍醫，在職三十餘年。原南陽研究醫經不事章句，以實際運用爲原則，根據患者病情隨機應變，因醫術高超、立論獨到而終成醫界翹楚。所撰《經穴彙解》在日本針灸史上占有一席之地；此外，原南陽尚有《叢桂亭醫事小言》《叢桂偶記》《瘈狗傷考》《傷寒夜話》《痘疹策》《脚氣編叢記》《藥語》《解毒奇功方》《寄奇方記》《西游雜記》《百餘録》等著作，多被後學奉爲圭臬；而《砦草》一書因係軍事醫學著作而廣爲人知。

又據本書自序所述：「舅氏淡園碕（字又作崎）翁作《經穴彙解》上、下二卷，以其季子失明，從事於針刺，故有此著也。余幼時在武城侍膝下，校之。無何，季子夭，翁亦弃此書而不省也。余之東歸，從游二三子，偶問俞穴。余素不解針刺，往往失其對。於是想往時《彙解》之事，乞之翁，再閲則所引僅僅三五家而已，未足以取徵於斯焉。余乃以家藏書修補之，增爲八卷。」可知，原南陽舅父户崎淡園先撰《經穴彙解》，僅有二卷。原南陽認爲原書引據不足，難以取徵，遂以家藏之書增修，擴爲八卷行世，刊刻時間爲日本享和三年癸亥（一八〇三）。

二　主要内容

《經穴彙解》共有八卷，遵循晋·皇甫謐《針灸甲乙經》的體例分部别類，詳考他書對腧穴异名、取穴定位的記載。書中卷一至卷五首列折量分寸法，下分頭面、頸項、肩、背腰、胸、腹、側脅、手、足，分别考證經穴；卷六論述經脉流注；卷七、卷八載録經外奇穴。全書共收單雙穴一千餘穴，其中含經穴六百五十餘穴、經外奇穴三百四十穴左右。每個穴位首出正名，其下列述异名，次詳定位、禁忌，彙列諸説，注明出處；再加按語，發微索隱，辨誤析疑。此外，書中還繪有六十八幅插圖，以展示手指分寸、穴位分布、經絡循行、骨骼解剖、折繩定穴等内容。

卷之一，載折量分寸法、頭面部第一和頸項部第二，共收録七十三名、一百三十穴。頭面部第一，收載神庭、曲差、本神、頭維、上星、囟會、前頂、百會、後頂、强間、腦户、風府、五處、承光、通天等六十三名、一百一十一穴；頸項部第二，載有廉泉、人迎、水突、扶突等十名、十九穴。本卷繪製有十幅圖，包括兩幅手指分寸圖，用繪圖形式表達以拇指和中指折量一寸長度的方法；另繪有「頭面總圖」「前髮際傍行圖」「頭中行二行三行之圖」「耳上之圖」「耳後之圖」「面總圖」「耳前之圖」「項頸之圖」共八幅描述頭面、頸項部的穴位分布圖。

卷之二，收肩部第三、背腰部第四，共載輯六十三名、一百一十二穴。肩部第三，録肩井、肩中俞、肩外俞、天髎、秉風、曲垣、天宗等十三名、二十六穴。背腰部第四，收大椎、陶道、身柱、神道、至陽、筋縮、中樞等五十名、八十六穴。本卷還繪有「肩之圖」「背腰總圖」各一幅，描繪肩部及背腰部的穴位分布情况；另附骶骨解剖圖一幅，分别從正面、側面、背面三個角度繪出骶骨的形態特徵，計有三幅圖。

卷之三，録胸部第五、腹部第六和側肋部第七，共述八十一名、一百四十穴（目録稱一百三十七穴，正文實有一百四十穴）。胸部第五，收天突、璇璣、華蓋、紫宫、玉堂、膻中、中庭、俞府、彧中、神藏等二十五名、四十三穴。腹部第六，載鳩尾、巨闕、上脘、中脘、建里、下脘、水分、神闕、陰交等四十六名、七十七穴。側脅部第七，録淵腋、輒筋、大包、天池、章門等十名、二十穴。本卷同時附刻「胸腹總圖」「側脅圖」各一幅，展現了胸腹及脅肋部的穴位，共繪兩幅圖。

卷之四，載手部第八，收少商、魚際、太淵、經渠、列缺、孔最、尺澤、俠白、天府、中衝、勞宫等六十名、一百二十穴。繪有「手部總圖」一幅，描繪手臂内、外側至手部的穴位分布。

卷之五，述足部第九，載隱白、大都、太白、公孫、商丘、三陰交、漏谷、地機、陰陵泉、血海、箕門等七十九名、一百五十八穴。附有「足部總圖」一幅，描繪了下肢内、外側至足部、足底的穴位分布。

卷之六，包括經脉流注第十，考論手太陰肺經、手陽明大腸經、足陽明胃經、足太陰脾經、手少陰心經、手太陽小腸經、足太陽膀胱經、足少陰腎經、手厥陰心包經、手少陽三焦經、足少陽膽經、足厥陰肝經、督脉、任脉共十四條經脉的循行流注，以及十四條經脉所經過的重要穴位，記單穴五十二穴，左右雙穴共六百零八穴。所述腧穴與前五卷多有重複，但與前五卷重點列述經穴的异名及定位不同，卷之六對穴位的描述更加注重其在經脉流注中的交會及作用。如中府一穴，卷之三考其别名、定位及禁忌，「一名膺中俞《甲乙》。一名府中俞《大全》。一名肺募《千金》。雲門下壹寸，乳上參肋間陷者中。動脉應手，仰而取之《甲乙》。禁灸《入門》」；而卷之六載其爲經脉流注之會，「手太陰之會。《氣穴論》《新校正》曰：手足太陰之會。《類經》同」。又如孔最一穴，卷之四主要考證定位，「太陰之郄。去腕柒寸《甲乙》。陷者宛宛中《明堂》。按：去腕，《千金》《千金翼》《外臺》《明堂》等作腕上。《入門》《寶鑑》作腕側上。《金鑑》云：上骨下骨間，未知所指，不可從。《甲乙》有專金二七水之父母八字，《千金》《外臺》共不載。是五行家之文，非皇甫氏之文，注語誤入本文。注云此處闕文，非也」；而卷之六對孔最穴僅提點一句「手太陰之郄」。此外，書中的插圖主要集中在本卷，共繪製十四經的經絡循行圖四十幅，重點展示了各經的循行、交會和骨度。

卷之七，載奇穴部第十一，包括頭面第一、背腰部第二和胸腹部第三，收經外奇穴一百七十三穴。頭面第一，包括天聰、神聰、明堂、大門、髮際等五十四穴；背腰部第二，含有肩頭、肩柱骨、巨闕俞、臣覺、背甲中間、腰目、腰眼、項椎、脊梁中央、中樞等六十穴；胸腹部，載有氣堂、通關、胸堂、石關、飲郄、應突、九曲中府、腋門等五十九穴。

卷之八，録奇穴部第十二，載四支（肢）第四，含有擗石子頭、河口、地神、虎口、飛虎、大骨空、小骨空、中魁、中泉等一百六十七穴。插繪通過折繩定位四花穴的示意圖十一幅。

總之，《經穴彙解》卷一至卷五，以《針灸甲乙經》的記載爲主，廣引他書之説，每穴之下列述并考訂諸穴多種异名及定位；卷六所載十四經經脉流注，則以《靈樞》爲要，同時參考《十四經發揮》等經穴學著作，論述經脉循行及所經過的穴位，并繪製經穴循行圖以彰明其流注；卷七、卷八則收録奇穴，取《備急千金要方》《千金翼方》《針灸資生經》等著作中有關奇穴之説，按照頭面、背腰、胸腹、四肢等部位分類，論述其名稱、定位、針灸法及主治病證。

三　特色與價值

《經穴彙解》一書，以皇甫謐《針灸甲乙經》爲尊，旁徵歷代相關著作，引述廣泛，考據翔實，可謂集前人經穴學説之大成。同時，本書參考西洋繪圖技巧，繪製了一批較爲精准的穴位分布圖、經絡圖以及骨骼解剖圖，令讀者讀其文、觀其圖便可準確找到腧穴位置，頗具臨床實用價值。

(一)廣引諸書,博采衆長

中國的針灸學説,伴隨着醫籍的流傳源源不斷地輸往日本。因此,歷代日本醫家編撰的針灸學著作,往往大量引用來自中國的醫學及非醫學文獻。譬如原南陽《經穴彙解》一書,便廣泛引述一系列中國醫籍,尤其是參考大量針灸類著作,對腧穴進行了詳盡的考證。

原南陽在本書總目録之後附有「引書目録」一則,詳細記載了他在撰著《經穴彙解》時參考的二十八種醫籍。除主要參考晉・皇甫謐《針灸甲乙經》之外,還引用了《素問》《靈樞》,晉・王叔和《脉經》、葛洪《肘後備急方》,唐・王冰次注《黄帝内經素問》、孫思邈《備急千金要方》《千金翼方》、王燾《外臺秘要》,宋・佚名氏《黄帝明堂灸經》、王執中《針灸資生經》、太醫院《聖濟總録》、許叔微《普濟本事方》,元・滑壽《十四經發揮》,明・楊繼洲《針灸大成》、高武《針灸聚英》、徐鳳《徐氏針灸大全》、陳會《神應經》、張介賓《類經》、董宿《奇效良方》、李梴《醫學入門》、劉純《醫經小學》、樓英《醫學綱目》、徐春甫《古今醫統大全》、龔廷賢《活嬰秘旨推拿方脉》,清・吴謙《醫宗金鑑》,以及朝鮮許浚《東醫寶鑑》、日本岡本玄冶《臟腑經絡詳解》。在「引書目録」的每部書名之下,以小字注明其在正文中出現的簡稱。如「《古今醫統》醫統」「《醫經小學》小學」「楊繼洲《針灸大成》大成」,以方便讀者查證引文出處。

歷史上對腧穴名稱和定位的記載,常常有許多不同的説法,有的甚至分歧較大。原南陽在本書凡例中指出,「至後世隨意增減,諸説紛紜,使人茫然」。因此,他撰著此書的主要目的就是要定名、定位,統一异説,以供日本醫家在針灸臨床中運用,即「此編務辨諸家之謬,令學者知所適從」。本書多紀元簡叙亦云：「今本之於《靈》《素》《甲乙》，參之於《銅人圖經》，而上自《千金》《外臺》，下至明清諸書，搜羅衆説，會粹精要，正之以經脉流注，量之以尺度、分寸，揣之以穴郄骨間動脉宛宛中，則莫有孔穴乖錯之弊，明堂之能事畢矣。」書中前六卷經穴的正名、异名及取穴，多來自所引中國醫學著作，且均標有明確的出處。

除「引書目録」中提及的書名外，原南陽還參考了其他文獻。如宋·王惟一《銅人腧穴針灸圖經》、周密《癸辛雜識》、劉昉《幼幼新書》，以及日本醫家丹波康賴所著《醫心方》等。可見《經穴彙解》一書以中國針灸學著作爲主，彙聚了中國的醫經、方書、臨床類著作以及來自日、朝醫學文獻的相關内容，可謂博采衆家之長，去蕪存菁，使諸多异説歸於一統。

（二）以《甲乙經》爲尊，獨樹穴位分類方式

元明時期，由於滑壽《十四經發揮》和張景岳《類經圖翼》的成書，將全身經穴統轄於十四條經脉之下，形成了一套完整的經絡經穴學説理論體系。兩書傳入日本之後，隨即受到日本醫家追捧，對其經絡經穴學説的發展産生了極大的影響。因此，日本江户時代的經絡經穴學説，總體上以《黄帝内經》《難經》理論爲宗，而以《十四經發揮》《類經圖翼》的體系爲用。當時的日本經穴學著作，亦多模仿《十四經發揮》《類經圖翼》的體例、内容，如小阪元祐《經穴纂要》、綿引聿《引經指南》、佚名氏《經穴機要》等，皆遵循《十四經發揮》《類經圖翼》的經穴分類和排列方式。不過，也有一些醫家反對以十四經統攝經穴。例如，醫家山崎子政（善）就提出：「《靈》《素》之外，《明堂》尚矣，《甲乙》收而傳焉，繼之有徐叔向、秦丞祖、甄權等書……元滑壽著《發揮》……自此而降，各家撰述頗多，得失互存，後學不能無

迷。」山崎子政此説被多紀元簡記入「經穴彙解叙」中。這些日本醫家常常越過元明時期而直接上溯更爲古老的醫學。以原南陽的《經穴彙解》爲代表，不取《十四經發揮》和《類經圖翼》以十四經統攝經穴的編撰方式，而是以《針灸甲乙經》的經穴分類和部位記述爲中心，按照頭面、頸項、肩、背腰、胸、腹、側脅、手、足的身體部位編次經穴，同時旁引他書諸説，考據腧穴的异名俗稱、取穴定位、針灸禁忌等問題，在江户時代衆多經穴學著作中獨樹一幟。

如《經穴彙解》「卷之一頭面部第一」所載「前髮際傍行凡七穴并圖」「頭中行直鼻中入髮際壹寸却行至風府凡八穴并圖」「頭第二行直眉頭俠中行各壹寸半却行至玉枕凡十穴」，所記載的經穴，分別來自《針灸甲乙經》卷三「頭直鼻中髮際傍行至頭維凡七穴第一」「頭直鼻中入髮際一寸循督脉却行至風府凡八穴第二」「頭直俠督脉各一寸五分却行至玉枕凡十穴第三」三個部分。再如「卷之二背腰部第四」所述「背中行自第一椎下行至尾骶骨凡十四穴」所載經穴，主要來自《針灸甲乙經》卷三「背自第一椎循督脉下行至脊凡十一穴第七」，且比《針灸甲乙經》增加了靈臺、懸樞、陽關三穴。「卷之二背腰部第四」所記「背第二行自第一椎兩傍俠脊各壹寸半下行至骶骨下及八髎凡四十四穴」，其中所收經穴主要源自《針灸甲乙經》卷三「背自第一椎兩傍俠脊各一寸五分下至節凡四十二穴第八」，且增添了闕俞（厥陰俞）一種。

關於《經穴彙解》分類方式遵《針灸甲乙經》而不從《十四經發揮》的原因，原南陽在凡例中稱：「今世言經穴者，率皆奉滑氏《十四經發揮》穴歌，以爲金科玉條，乃就各經揣摩以認俞穴，或自手而到於頭，或自足而到於頭，唯其流注是視，不復審各體全穴，故至數穴相接之處動致混錯，如下廉、豐隆、耳門、聽宫、聽會，重取一穴而莫之能省，蓋《發揮》穴注雖據《資生經》爲文，然其部分穴名不主各體而主各經，蓋效《外臺秘要》。更於手足十二經之外，加奇經任、督二脉，創設十四經之目。因配以諸穴，學者由是而學焉，所以失也。今取俞穴，先就頭面、腹背、項頸各部，悉詳其處所，然後推求絡經上下前後猶指掌，故此據《甲乙》《千金》以分諸部爲圖，若其流注，則具之於後。」原南陽認爲，當時日本的經穴著作，皆以滑壽的《十四經發揮》爲宗，按照從手至頭、從足至頭的次序排列，這樣的分類編排方式往往會導致穴位記載重複。爲了解决這個問題，原南陽以《針灸甲乙經》的體例爲主，按照頭面、腹背、項頸等身體部分對穴位進行分類，令讀者每讀一穴，便知其大致位置，然後進一步推求其所處經絡。這種分類方式在論述上分明得當，有利於讀者更加清晰地掌握經穴所在。

（三）參考西方解剖學繪圖方式

日本江户時代後期，西洋醫學的傳入對日本針灸學的發展同樣造成了一定影響。前野良澤、杉田玄白從荷蘭語翻譯《解體新書》，首先將西洋解剖學介紹到日本，從而影響到針灸學領域，如小阪元祐《經穴纂要》、加古良玄《解體針要》皆將西洋解剖學引入針灸醫學。原南陽同樣受到了西方解剖學的影響。他在《經穴彙解》一書中，就參考了西方解剖學的繪圖方式。如卷之二背腰部第四中，采用素描的繪圖技法，繪製了正面、側面、反面三幅從腰椎至骶骨、尾骨的解剖圖，而與中國的骨度圖有所不同。這種學習西方的接近素描的插圖，以短綫條表現陰影部分，很好地展現出骨骼的立體結構以及骨骼之間的連接情形，視覺效果更加逼真寫實。書中所插繪的手指分寸圖、經穴分布圖以及經絡循行圖，比例恰當，繪製精細，且適當運用透視技巧，將人體結構很好地展現在了讀者眼前。

總之，原南陽的《經穴彙解》一書，不從元明時期《十四經發揮》《景岳全書》以十四經統攝腧穴的方式，而是尊崇晋代的《針灸甲乙經》，按身體部位歸納腧穴并詳加考證，存真辨誤，體現了原南陽研究腧穴崇古尊經的思想。同時，以原南陽爲代表的日本醫家非常重視臨床實際。本書以幫助日本人在臨床中運用經穴爲目的，或多或少地吸取西方解剖學知識和繪畫技巧，配合文字闡述經穴學知識，將腧穴分布、經絡循行、定位取穴、骨度解剖等直觀展示出來，成爲一部在日本針灸史上舉足輕重的經穴學著作。

四　版本情况

《經穴彙解》成書於享和三年癸亥（一八〇三）。日本《國書總目録》根據書中多紀元簡撰叙的時間，著録其成書年代爲日本文化四年（一八〇七）。❶目前，世存有日本嘉永七年（一八五四）刊本，藏於日本早稻田大學圖書館、京都府立綜合資料館；另有刊刻年代不詳刻本，藏於日本國立公文書館内閣文庫、九州大學圖書館、京都大學圖書館、京都大學圖書館富士川文庫、慶應義塾大學圖書館富士川文庫、東北大學圖書館狩野文庫、東京都立日比谷圖書館東京志料、市立刈谷圖書館、乾乾齋文庫、神宫文庫、天理圖書館。❷

❶〔日〕國書研究室．國書總目録：第三卷［M］．東京：岩波書店，一九七七：一一．

❷〔日〕國書研究室．國書總目録：第三卷［M］．東京：岩波書店，一九七七：一一．

本次影印采用的底本，爲日本早稻田大學圖書館所藏嘉永七年（一八五四）刊本。此本藏書號「ヤ09 00491」，全書共八卷八册，每册封皮題簽分别寫有「經穴彙解」以及「卷之一／頭面部／頸項部」「卷之二／肩部／腰背部」「卷之三／胸部／腹部／側脅部」「卷之四／手部」「卷之五／足部」「卷之六／經脉流注部」「卷之七／奇穴部」「卷之八／奇穴部」。第一册的卷首扉葉處刻「南陽原先生編輯千里必究／經穴彙解全八卷／書肆江都青藜閣／水户東壁樓發」。扉葉後載原南陽「《經穴彙解》自序」一篇、多紀元簡撰「《經穴彙解》叙」一篇。叙後有凡例、總目録和引書目録。各卷之首載有該卷子目。全書四周雙邊，烏絲欄。正文每半葉十一行，每行二十字。版心白口，序言部分，書口上部分别刻「自序」「經穴彙解序」，下部刻有葉次；凡例及目次部分，書口上部刻其書名、卷次，如「經穴彙解卷之一」，中部刻「凡例」或「目次」，下半鎸葉次及「叢桂亭藏」字樣；正文部分同凡例、目次，僅中部未見「凡例」「目次」字樣。卷八末葉爲刊刻牌記，鎸「嘉永七年甲寅初春再刻／發行書林／……」等刊刻時間和刊刻者姓名、地址等信息。牌記左側還刻有「南陽原玄璵先生著述目録」，爲原南陽五部醫著的刊行廣告。

總之，原南陽所著《經穴彙解》一書，是日本江户時代後期成就最高的經穴學著作之一，與堀元厚《隧輸通考》、小阪元祐《經穴纂要》、多紀元簡《挨穴集説》齊名，在日本針灸學史上占有一席之地。本書以《針灸甲乙經》爲主，對所載穴位按照人體部分進行分類，且於每穴之下詳列該穴异名、定位，附以他書之説進行辨誤、考證，以備讀者檢索對照之用。書中還繪有近七十幅手指分寸、穴位分布、經絡循行、骨骼解剖以及折繩取穴圖，使讀者能够方便地將圖文進行對照，從而快速掌握腧穴的定位之法。此外，本書引用中、日、韓三國的多種醫學文獻，并在一定程度上參考了西方的繪圖方式，對研究針灸學術的交流同樣具有重要意義。

付璐　蕭永芝

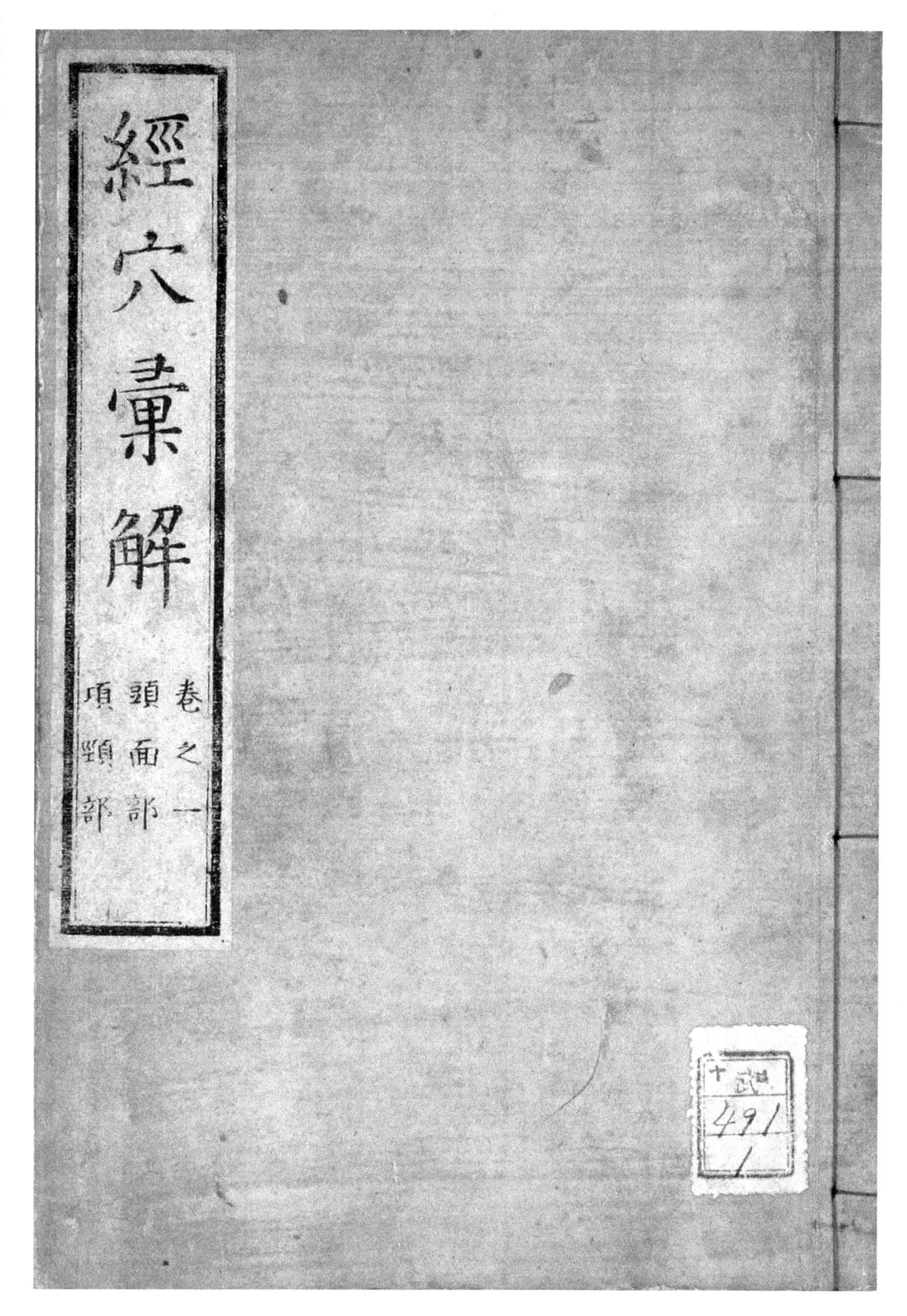
經穴彙解
卷之一
頭面部
項頸部
491
1

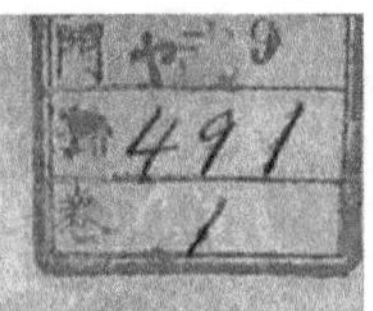

南陽原先生編輯

千里 必究

經穴彙解 全八卷

書肆 江都 青藜閣
水户 東壁樓 發

經穴彙解自序

舅氏淡園碕翁作經穴彙解上下二卷以其季子失明從事於鍼刺故有此著也余幼時在武城侍膝下校之無何季子夭翁亦棄此書而不省也余之東歸從

遊二三子偶問俞穴余素不
解鍼刺徒々失其對於是想
從時彙解之事乞之翁再
閱則所引僅々三五家而已
未足以取徵於斯焉余乃以
家藏書備補之增為八卷

須澤堀之考遂輸通攻諸
説頗具余業已脱稿故不敢
其説安井元越俞穴折衷全抄
通攻來擇之不精慽多遺漏
余固淺見寡聞引証疎脱豈
啻遂輸通攻而已哉希後之

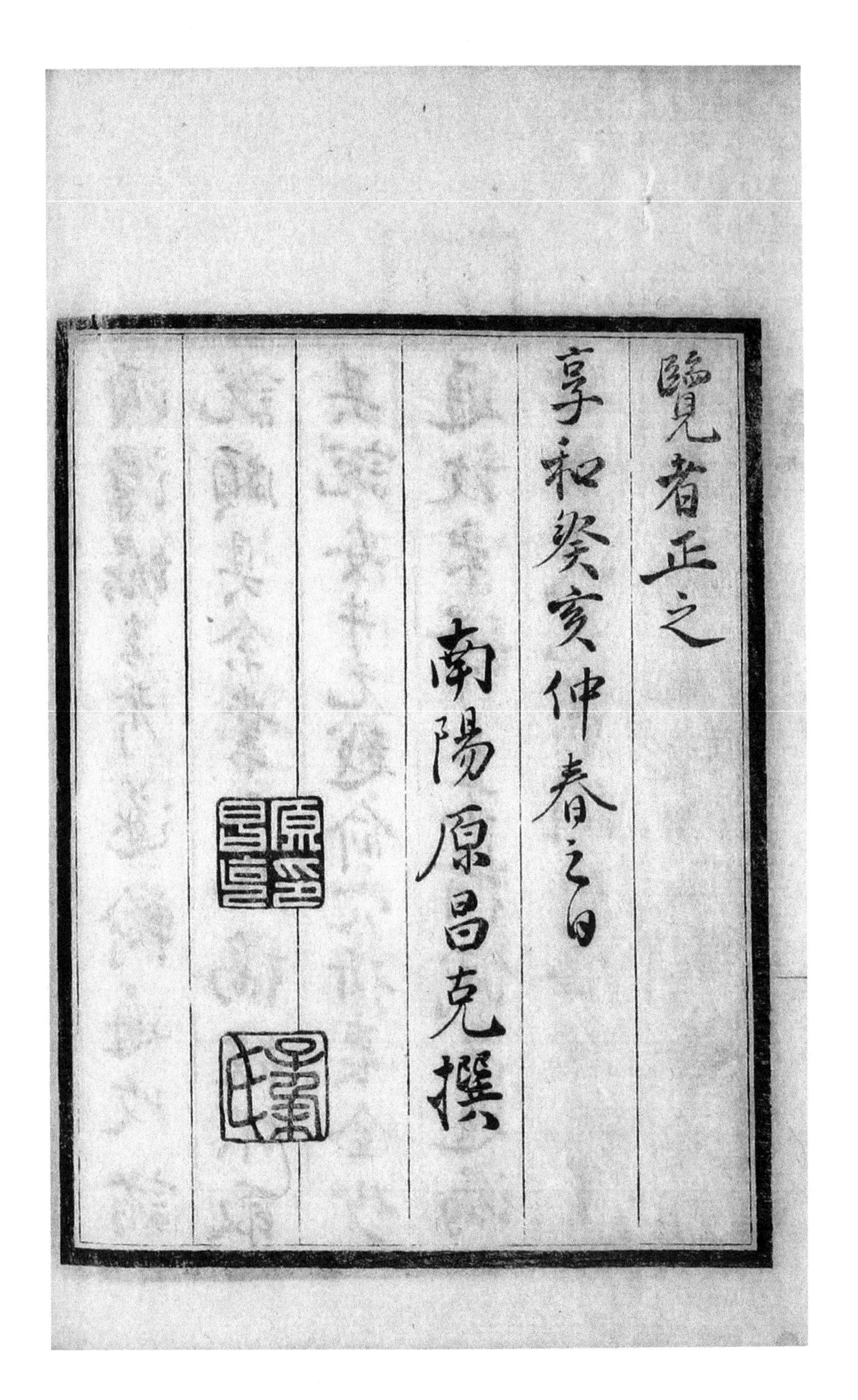

覽者正之

享和癸亥仲春之日

南陽原昌克撰

經穴彙解叙

余童表弟山崎子政善世以針
科仕
朝尤妙手爪之運見為侍醫兼醫
學教諭嘗語余曰靈素之外明
堂尚矣甲乙収而傳焉繼之有

徐叔嚮秦承祖甄權等書俱係
于亡佚是可惜也宗仁宗儆貞
觀故事命翰林醫官王惟一撰
定銅人針灸圖經於是三陰三
陽合任督而為十四孔穴三百
六十五其義始備矣元滑壽著

發揮一依忽公泰金蘭循經云忽氏之書此間無傳然攷其文正與銅人同則循經全採之于銅人而滑氏不及寓目於銅人也自此而降各家撰述頗多得失互存後學不能無迷今本之

於靈素甲乙參之於銅人圖經而上自千金外臺下至明清諸書蒐羅衆說會粹精要正之以經脈流注量之以尺度分寸揣之以究郄骨間動脈宛宛中則莫有孔穴乖錯之弊明堂之能

事畢矣若夫方圓迎隨之徼吹
雲見蒼之妙則在於得之心手
豈可言傳耶
水藩侍醫原子子柔撰經穴彙
解八卷篡廿有餘家之說考証
辨訂定為一家之學以嘉惠後

學殆與子政之言符蓋其用心也勤矣書已上梓以問序于余余非顓門故昧乎經俞之義焉得揩辭然子柔在數百里之外懇請不已囙綴所聞於子政揭于卷端以諗讀斯書者云

文化四年歳在丁卯仲春上澣

東都醫官督醫學丹波元簡譔

水戸藩　扈從士員立原任書

凡例

一孔穴註解。以甲乙經。爲古千金方。外臺秘要。次之。至後世。隨意增減。諸說紛紜。使人茫然。故此編務辨諸家之謬。令學者知所適從。

一今世言經穴者。率皆奉滑氏十四經發揮穴歌。以爲金科玉條。迺就各經。揣摩以認俞穴。或自手而到於頭。或自足而到於頭。唯其流注是視。不復審各體全穴。故至數穴相接之處。動致混錯。如下廉。豐隆。耳門。聽宮。聽會。重取一穴。而莫之能省。蓋發揮穴註。雖據資生經。爲文。然其部分穴名。不主各體而主各經。蓋倣外臺秘要。更於手足十二經之外加奇經任督二脉創設十四經之目因配以諸穴學者由是而學焉。所以失也。今取俞穴先就頭面腹背項頸各部悉詳其處所然後推求絡經上下前後。猶指掌故此據甲乙。千金以分諸部爲圖若其流注則具之於後。

一經絡流注交會。及穴歌盡具十四經發揮其與經脉篇有異同。則岡本爲竹。著臟腑經絡詳解悉之奇經八脉。亦同今諸經俞穴。有異同者外臺秘要。移肺經中府雲門入脾經之類。必記之備參考灸壯刺分則諸書異同稍少而至攻病則有不可守者。故不載穴下舉具于續編主治部中如禁刺灸穴亦不可不知焉。載在各穴下。

一此編。一主甲乙經。故繫諸本註。但內經文可徵者。先記而后及甲乙。使學者知古書可據也。有異同辨之。兩可者共載。誤謬必從有考證者。所增補者書增註。每穴名下。必記其書目者。又從其古者。

一千金方曰。呉蜀多行灸法。有阿是之法。阿是天應穴。取病人稱快者。自是陷中。而經脉所歷也。故奏驗不尠。乃古所謂痛所為俞之義也。然徒執阿是而謂經穴之似迂者。去大道而從捷徑也。療其病不知其所以愈也。所謂阿是而無名稱者。皆載之續編主治部中。

經穴彙解卷之一　凡例　二　叢桂亭藏

一凡奇穴。別分部。其阿是穴。而無名目者。不收録。

本邦之灸法。傳異域者。載在聖濟總録。神應經等。又如九曜点之類。乃今不録。詳諸續編主治中。

一同身寸者。不必用。只急卒之際。或用之。而其法不二。諸説載在開卷第一者。所以先其急也。

一孔穴註解。資生經等。引他書者。就其所引之書校之。若不見其文者。直書資生經。或書。今本不見。

一閲書之際。遇其異名。則不易知。乃細書異稱於目録穴名下。便其搜索。

一引書目録。只載其孔穴下。所引據者。於考案條中。所證訂。如素難諸註。諸史註疏之類。總不註于穴

下者皆不列目録而誇博洽且偶有目録外書而
註穴下者則正録題名若癸辛雜識幼幼新書五
雲抄等是也引書省題名例細書目録下
一家藏聖濟總録謄寫本也其分寸字畫不能無疑
故多不取徵于此呉文炳鍼灸大成無註于穴下
者楊繼洲鍼灸大成往往載其說於穴下單記大
成者楊氏之大成也如呉氏鍼灸大成只記呉文
炳不言大成以別之
一流注編中穴下所細註一載甲乙經文故不記甲
乙經若有引他書者則必記其所引書名又不曰
某經之所發某經之所溜單記所發所溜者省本

經之字也。但肺經一條。悉加大陰經之字以示之

其經絡別走某經之類。亦省本經字

一奇穴部。所載穴名。註文不同而其穴相同者。不敢改論焉。以其不拘經絡流注也。

一凡奇穴同名異穴者。於各條。不下註說。但如與俞穴同名者。必註曰。與某部某穴。同名異穴。教讀者不誤。

經穴彙解

目次

經穴彙解

引書目録

素問　靈樞

脉經　肘後方 肘後

甲乙經 甲乙　千金方 千金

千金翼方 千翼　王氷内經次註 次註

外臺秘要方 外臺　明堂灸經 明堂

資生經 資生　神應經 神應

本事方 本事　聖濟總録 聖濟

徐氏鍼灸大全 大全　十四經發揮 發揮

類經　醫學綱目 醫綱

奇效良方良方　醫經小學小學

鍼灸聚英聚英　醫學入門入門

東醫寶鑑寶鑑　古今醫統醫統

醫宗金鑑金鑑　楊繼洲鍼灸大成大成

活嬰秘旨推拿方脈秘旨

臟腑經絡詳解圖本

經穴彙解卷之一目次

折量分寸法三首並圖

頭面部第一並圖

前髮際傍行凡七穴並圖

神庭髮際　曲差鼻衝

本神　頭維

頭中行直鼻中入髮際壹寸却行至風府凡八穴並圖

上星鬼堂　神堂　明堂　顖會頂門　鬼門　顖門　顖上

前頂　百會三陽五會　泥丸宮　鬼門　巔上

天滿　五會　三陽　後頂交衝

強間大羽　腦户匝風會額合顱

風府舌本鬼枕鬼穴曹谿

頭第二行直眉頭俠中行各壹寸半却行至

玉枕凡十穴

五處　承光

通天天臼　絡却強陽腦蓋

玉枕

頭第三行直瞳子上入髪際伍分却行至腦

空凡十穴

臨泣　目窻至榮

正營　承靈

面中行直神庭下行凡五穴並圖

素窌 面王 水溝 鬼宮 鼻人中 鬼客廳 人中

鬼市 兌端

斷交 承漿 天池 懸漿 鬼市 垂漿

面第二行直曲差下行凡八穴

攢竹 員在 明光 始光 元柱 夜光

睛明 泪孔 淚空 淚孔 迎香 衝陽

禾窌 頔 長頻

面第三行直目上臨泣下行凡十二穴

陽白 承泣 鼷穴 面窌

四白 巨窌

地倉 會維　大迎 髓孔

面第四行直本神下行凡六穴

絲竹空 目髎 巨窌　瞳子窌 太陽 前關 後曲

顴窌 兑骨

面第五行直頭維下行凡十二穴

頷厭　懸顱 髓空

懸釐　上關 客主人 容主 太陽 客主

下關　頰車 機關 曲牙 鬼牀

耳前凡八穴並圖

耳門　和窌

聽會 聽呵 後關 听呵　聽宮 多所聞 窓籠

項頸部第二凡十九穴並圖

廉泉本池舌本　人迎天五會

水突水門　氣舍

扶突水穴　天鼎天頂

天窓窓籠　天容

天牖　缺盆天蓋

以上總計單雙一百三十穴

經穴彙解卷之一

水戶　侍醫　南陽　原昌克子柔　編輯

折量分寸法

凡取俞穴折量分寸之法。說者不一以其專主同身寸而不據靈樞骨度篇。故多爲參差。夫俞穴所在。即肌肉之分理。節解骨縫陷罅處也。故曰動脈應手。或曰宛宛中。或曰陷者中。則索宛陷摸動脉以得俞穴。不必用分寸者。可知矣。古人雖或言分寸。亦大概言之。不必拘拘也。且夫同身寸者。古書所無也。又名同指寸。始見孫真人之說。以本人手指度本人之身體。故曰同也。非布醫師之手指於病者而度之之謂也。

王太僕註。素問每穴曰同身寸之幾寸。後人遂廢骨度篇而用同身寸。明堂灸經。引扁鵲載同身寸。醫書動假扁鵲而爲根蔕。末詳其由來。按寸字起於寸口。从又从一。本取布指診脉之象。是人身專以寸口爲一寸。又家語云。布指知寸。公羊傳云。膚寸而合。註曰。側手爲膚。皆言布指爲寸。非度手指兩紋中間而爲寸之謂也。試度兩乳間爲九寸半。以指布之。一指當一寸。則布指之義。不爲強定。俞穴之際。至其無骨節縫會可以憑認者。則據骨度分寸。折量之。而後肥瘦長短。各得其所。及病急卒。以已手布病者身體肥瘦長短。以意將息。譬鳩尾至臍中。布指容八指。則一指當一寸。四指爲中脘。三指爲上脘。容七指則一指弱爲一寸。庶乎其不差。其他同身寸未必用焉。頃三人相會。一人長五尺六寸。以曲尺度同身寸。得七分半。一人長五尺三寸。而得八分。一人長五尺而得七分半。且目口取一寸。或以兩乳八寸之法。取脊膂類。皆無稽之甚。不可從焉。

崔知悌曰。凡孔穴尺寸。皆隨人形大小。須男左女右量手中指一節兩紋中心爲一寸。孫真人曰。凡孔穴皆逐人形大小。取手中指第一節爲一寸。千金翼無一字云。三寸者。盡一中指也。此二說同義。徐鳳曰。大指與中指相屈如環。取中指中節橫紋。上下相去長短爲一寸謂之同身寸法楊繼洲曰。手中指第二節内廷横紋頭。相去爲一寸取稻稈心量或用薄篾量皆易折而不伸縮爲凖用縄則伸縮不便故不凖後人多從此説

孫真人曰。凡孔穴在身皆是臟腑榮衛。血脈流通。表裏往來。各有所主臨時救難必在審詳人有老少。體有長短。膚有肥瘦皆須精思商量。凖而折之無得一槩致有差失。其尺寸之法。依古者捌寸爲尺仍病者男左女右。手中指上第一節爲一寸亦有長短不定者。卽取手大拇指第一節横度爲一寸以意消息巧拙在人。又曰。以肌肉文理。節解縫會。宛陷之中及以

手按之病者快然如此仔細安詳用心者乃能得之耳。此說為得吾門以此說為法世人偶誤讀橫度大拇指第一節文度大拇指上下兩橫紋間為一寸者非孫氏之意也。凡言橫者以人身直立言焉。手指亦同。大淵太陵曲澤等條下皆有橫紋語可見也千金方。又曰以古尺比今尺得八分

本邦曲尺與唐尺同。則八分今曲尺八分也。試究轉隨指橫度橫紋得曲尺一寸橫度第一節則得八分此言指廣即布指之義也且千金不言橫紋廼橫度第一節耳

肘后方曰以病人手橫掩下併四指名曰一夫夫家

語作扶。公年作膚。蓋以音同。千金方曰。凡量一夫法。覆手併舒四指。對度四指上中節橫過爲一夫。夫有兩種。有三指爲一夫者。此脚弱灸以四指爲一夫也。亦依支法存舊法。外臺秘要方曰。謹按明堂制。當以立爲正取穴。必須直立。膝臏骨。坐立便即移動不定。故宜立取之。其寸取病人中指上節爲一寸。若取尺寸有長短。取穴必不著。又按秦承祖華陀等。取穴並云三指四指爲準。取三里穴四指。指闊六分。四六二十四。只闊二寸四分。取穴如何得著。黄帝爲本。諸說並不可信。今按灸脚氣八種法之類。三里上下廉。從肘后方。以下諸書多有一夫法。處穴致參差。故不取

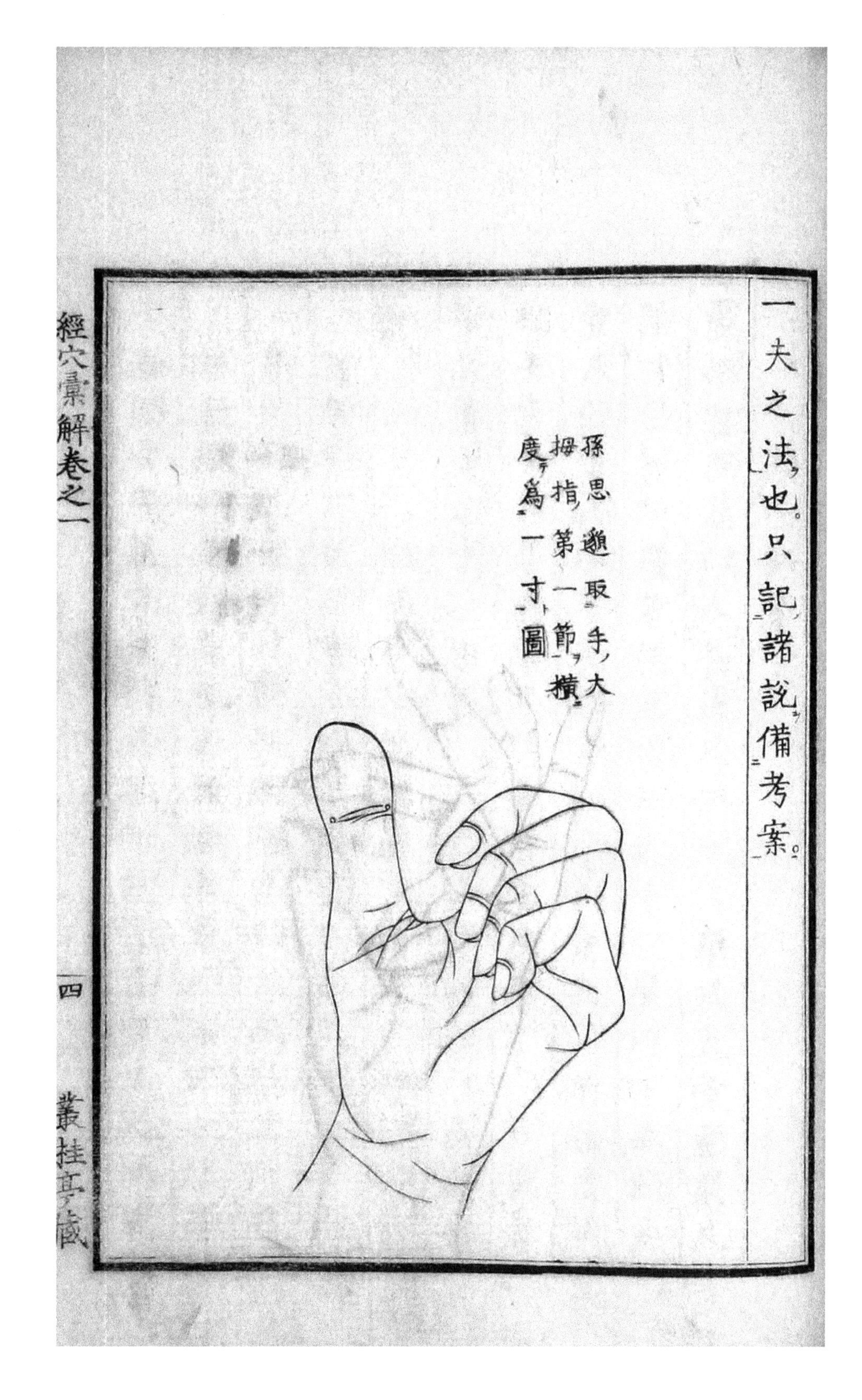

一夫之法也。只記諸說備考案。

孫思邈取手大拇指第一節橫度為一寸圖

經穴彙解卷之一　四　叢桂亭藏

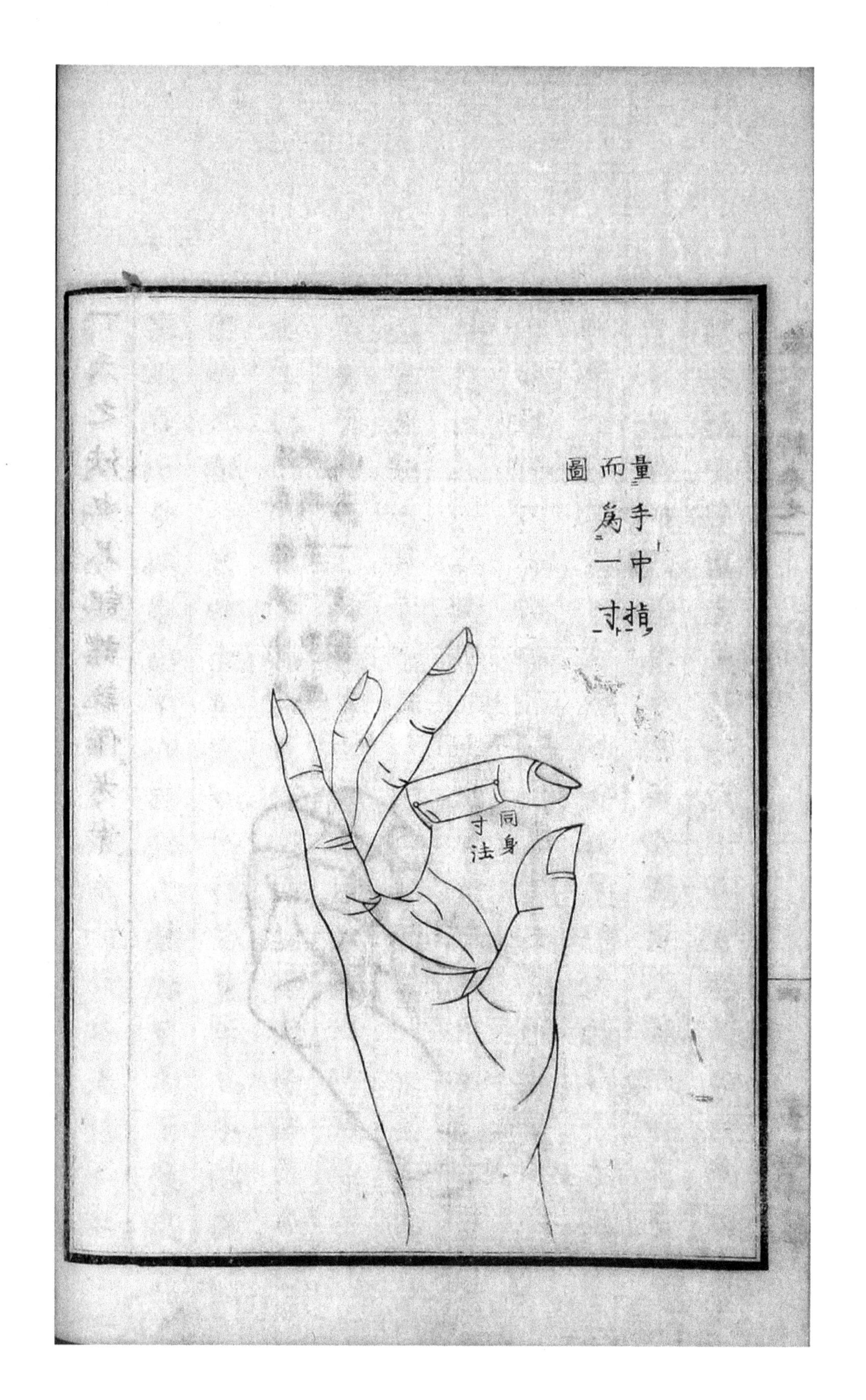
量手中指而爲一寸之圖
同身寸法

頭面部第一

靈樞骨度篇曰。人長柒尺伍寸。○頭之大骨圍貳尺陸寸○髮所覆者顱至項尺貳寸○髮以下至頤長壹尺○角（額角）以下至柱骨（天柱骨）長壹尺○兩顴之間相去柒寸○耳前當耳門者廣壹尺參寸○耳後當完骨者廣玖寸○項髮以下至背骨（背。甲乙作脊）長貳（甲乙作參）寸半○結喉以下至缺盆中長肆寸。（缺盆中天突也）

按類經曰。如髮際不明則取眉心直上後至大杼骨。折壹尺捌寸。此說拘拘有頭顱大而項縮者有項長顱小者。或有眉上顱額廣者。此類不少故就各部骨度置穴蓋。髮際不明則使病者上視顏額

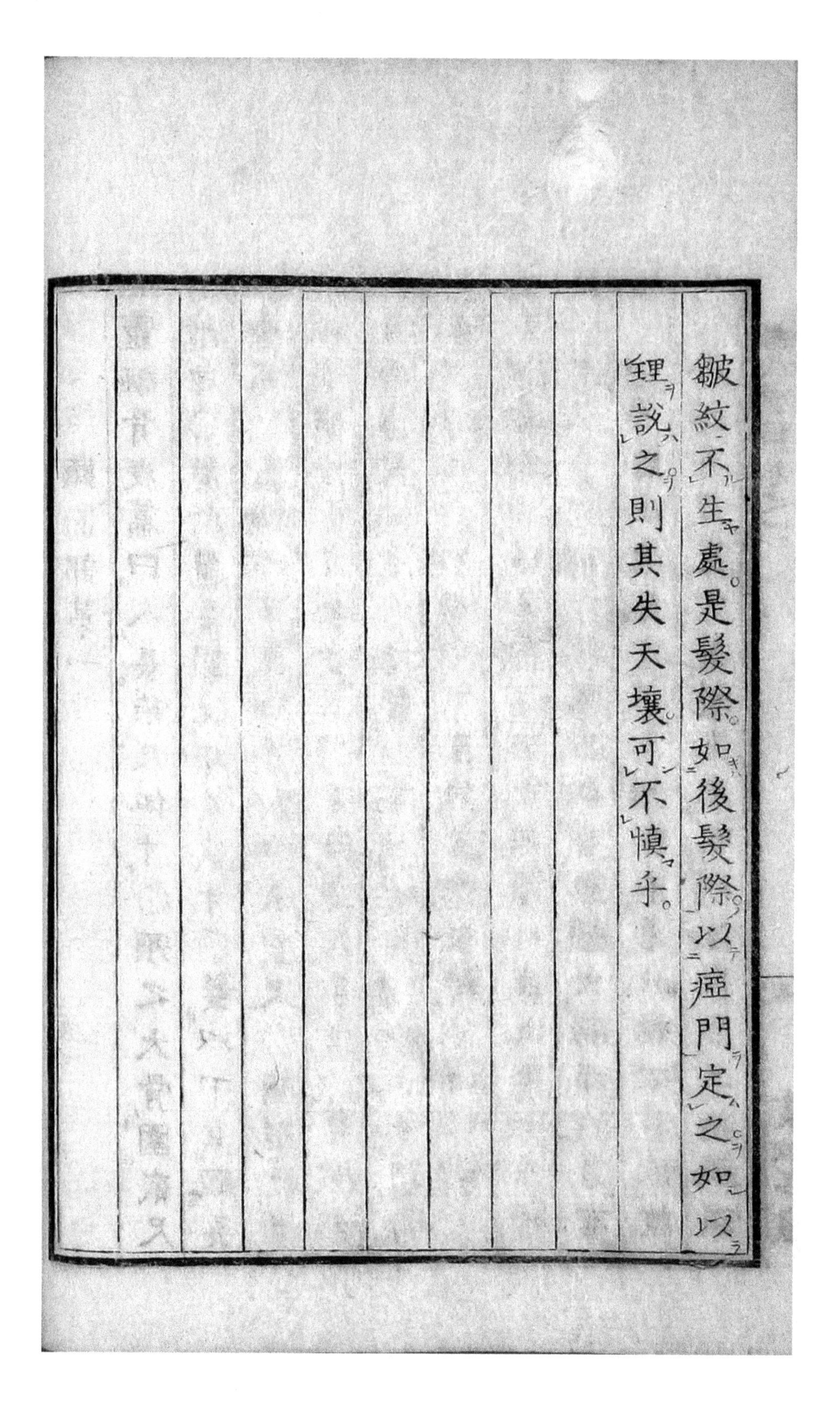

皺紋不生處。是髮際。如後髮際以瘂門定之。如以理說之則其失天壤。可不慎乎。

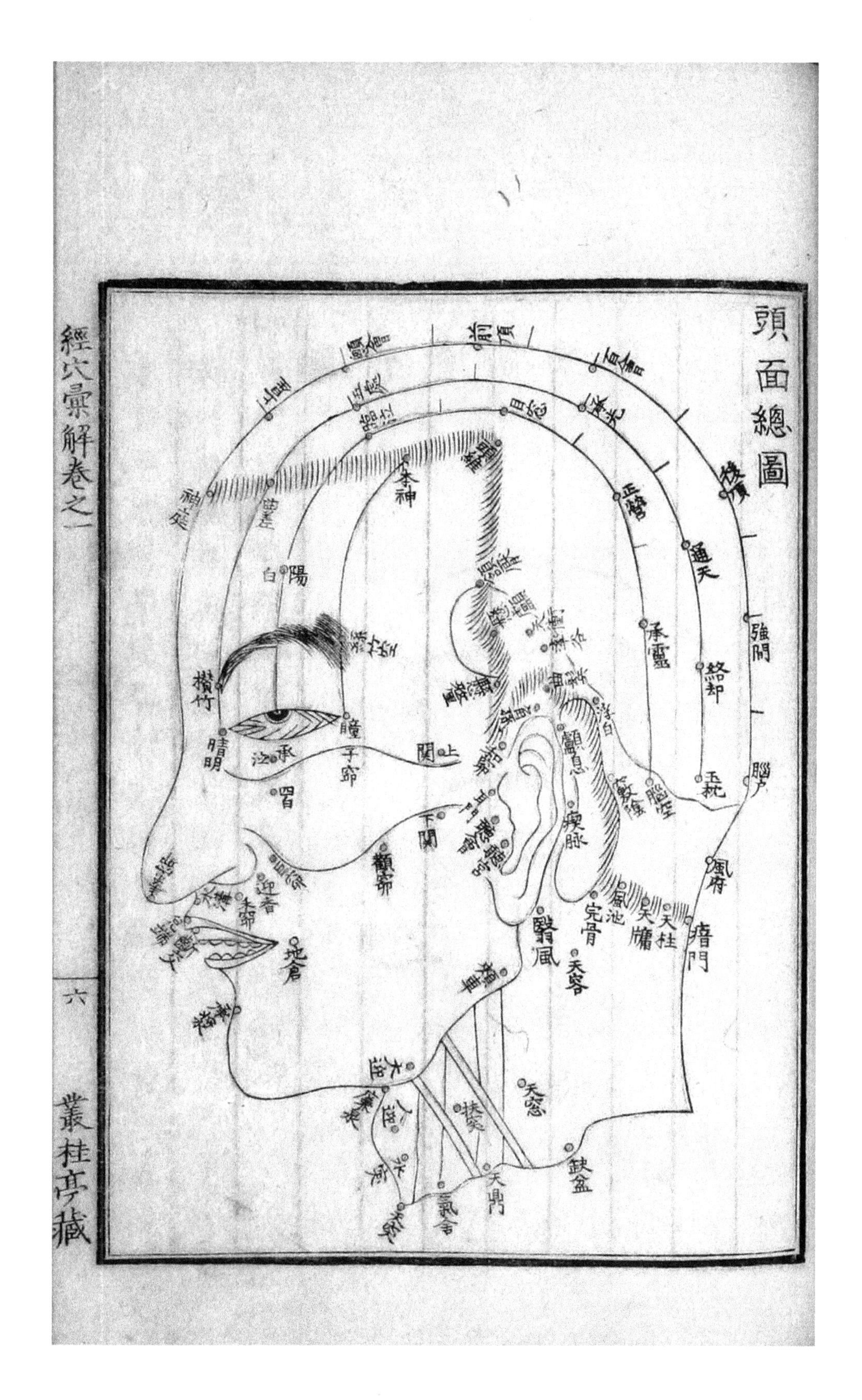
頭面總圖
經穴彙解卷之一
六
叢桂亭藏
神庭
曲差
本神
陽白
攢竹
睛明
承泣
瞳子髎
四白
上關
下關
顴髎
迎香
禾髎
地倉
承漿
頰車
大迎
人迎
水突
氣舍
天鼎
扶突
天窗
缺盆
天容
翳風
完骨
風池
天牖
天柱
瘂門
風府
腦戶
玉枕
腦空
絡卻
強間
承靈
通天
正營
後頂
百會
前頂
上星
五處
承光
目窗
頭維
懸顱
顱息
瘈脈
浮白
耳門
聽會

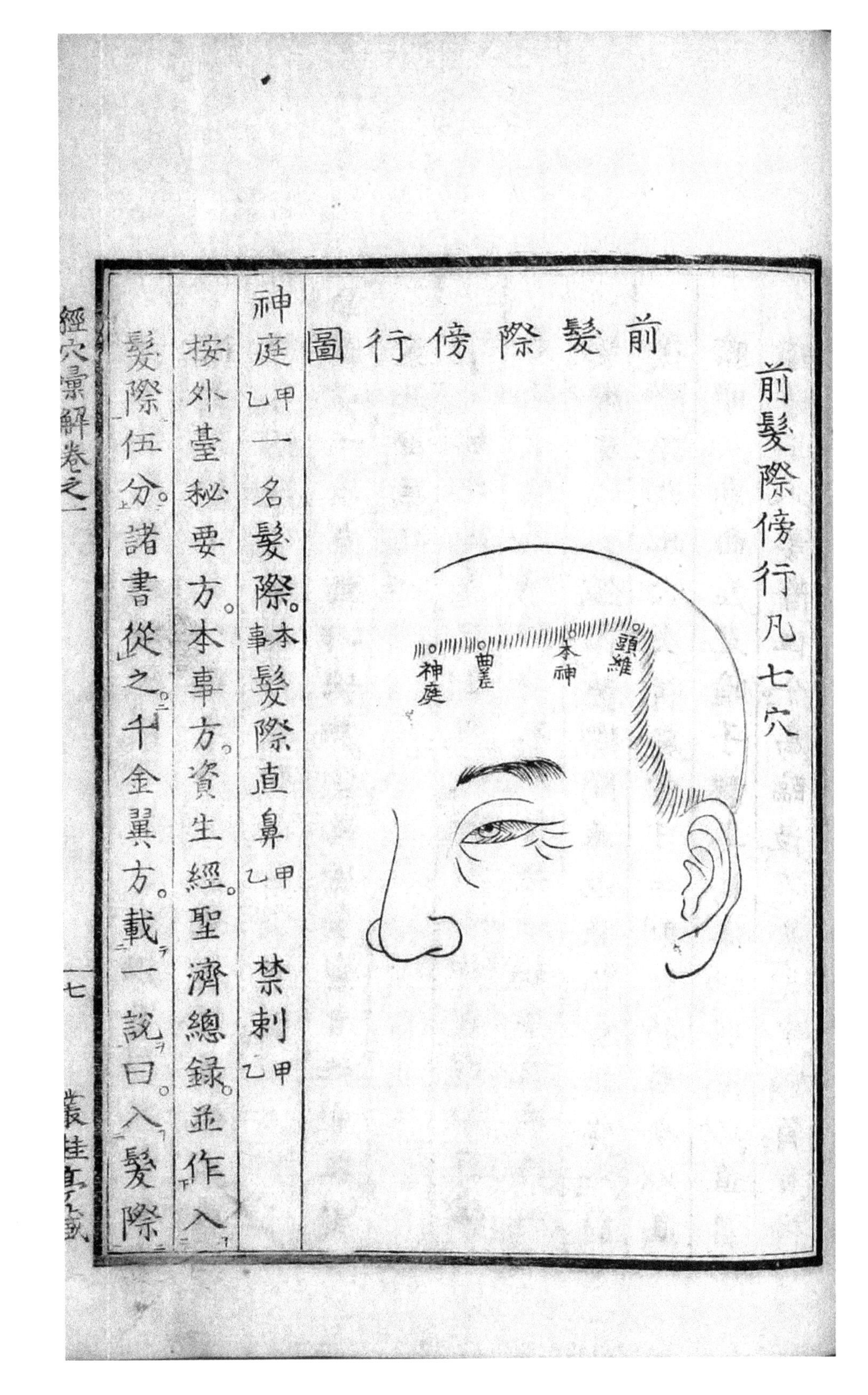

前髮際傍行凡七穴

前髮際傍行圖

神庭甲乙一名髮際。本事髮際直鼻甲乙禁刺甲乙

按外臺秘要方。本事方。資生經。聖濟總錄。並作入髮際伍分。諸書從之。千金翼方。載一說曰。入髮際

經穴彙解卷之一　一七　叢桂亭藏

壹分。東醫寶鑑曰。額前。皆拘矣。類經有髮高者。髮際是穴。髮低者。加貳參分之說。凡髮際高低以意將息而得穴。亦無用之辨也。今從古說。

曲差 一名鼻衝。俠神庭兩傍。各壹寸伍分。在髮際。正頭取之。

按。差。徐氏鍼灸大全。作羌。誤。十四經發揮。類經。鍼灸聚英。呉文炳鍼灸大成。楊繼洲鍼灸大成。作入前髮際。醫宗金鑑。作髮際間。非也。東醫寶鑑。作入前後際。誤也。此穴去神庭壹寸半。則難折量。今以直睛明上為曲差。直瞳子髎上為本神。其間以直目瞳子上。入髮際伍分。為臨泣。不然。先定額角。自神庭至額角爲肆寸伍分。分置四穴。大原先安醫門摘要曰。神庭直鼻上。入髮際伍分則曲差亦入髮際伍分。無稽之說。不可從。

本神 甲乙 曲差兩傍各壹寸伍分。在髮際。甲乙

按此穴直絲竹空上髮際故甲乙經屬髮際傍行部。千金方屬面部第四行。至絲竹空。瞳子髎可見。甲乙。千金載一說曰。直耳上。入髮際肆分。千金翼作貳分。諸書皆有此說。不取。外臺作上目直耳上入髮際肆分。東洋先生曰。蓋上目是一曰之誤。又醫學入門作臨泣外壹寸半。而臨泣直瞳子處曲差。本神中間。

頭維甲乙額角髮際。俠本神兩傍各壹寸伍分甲乙 禁灸甲乙

按。氣府論云。足陽明脉氣所發者。額顱髮際傍。各三。王氷次註曰。謂懸顱陽白頭維左右共六穴也。資生。神應經。類經。聚英。呉文炳。金鑑。作入髮際。非矣。菅沼長之鍼灸則曰。入髮際壹寸伍分。妄矣。千金曰。灸頭兩角。兩角當廻毛兩邊起骨是也。蓋指此穴。神應經曰。取曲鬢一寸。非也。

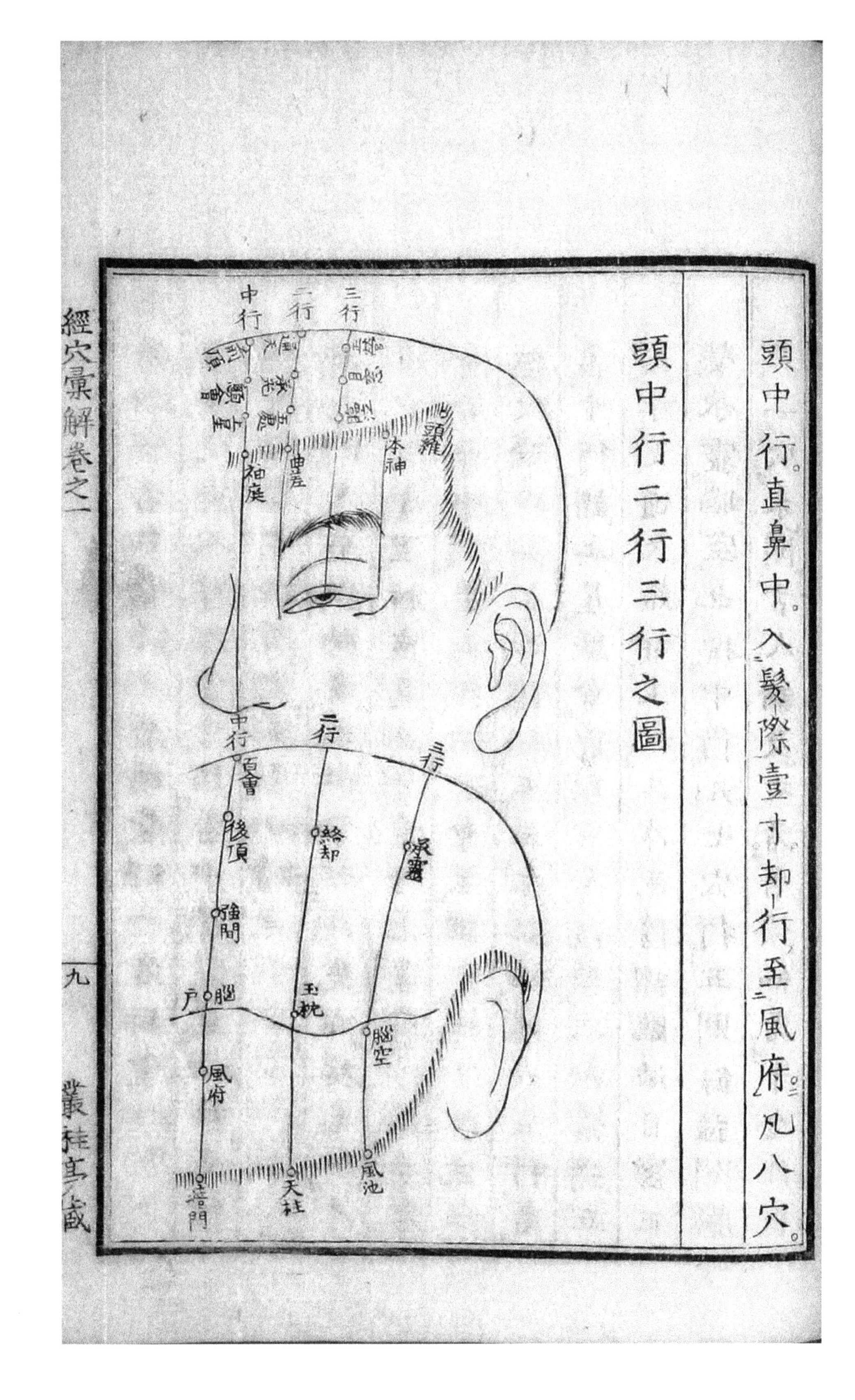

頭中行。直鼻中。入髮際壹寸。却行至風府。凡八穴。

頭中行二行三行之圖

經穴彙解卷之一　九　叢桂亭藏

上星。甲乙一名鬼堂。千金一名明堂。資生一名神堂。類經顖上直鼻中央。入髮際壹寸。陷者中。可容豆。甲乙神庭後入髮際壹寸。聖濟不宜多灸。外臺引甄權

按。入門大全。作神庭上伍分。非矣。先以旋毛與耳上定百會。至神庭爲伍寸壹寸上星壹寸顖會顖會百會中間。置前頂。從百會至腦户肆寸伍分。水熱穴論曰。頭上五行。行五。王冰註曰。頭上五行者。當中行謂上星。顖會。前頂。百會。後頂。次兩傍謂五處。承光。通天。絡却。玉枕。又次兩傍謂臨泣。目窻。正營。承靈。腦空也。按。中行凡七穴。行五則餘強間腦户二穴。未聞古人論及之者。暫俟知者。千金作神

庭上貳寸。資生經載。明堂經所謂明堂。卽此穴。今移入。一名千金翼鍼灸篇曰。卒癲灸督脉三十壯。在直鼻人中上入髮際。三報之。未知何處。

顖會。甲乙一名顖上。一名鬼門。千金一名顖門。李時珍奇經八脉攷一名頂門。大成上星後壹寸。骨間陷者中。甲乙禁刺。入門寶鑑

按入門。後作上。醫門摘要作壹寸伍分。非矣。千金翼曰。邪病鬼癲。囟上主之。一名鬼門。千金註曰。顖會。一名鬼門。字書云。囟古作顖。又諸風篇曰。神庭上貳寸。隔上星。說分寸。故不取。千金翼作壹寸。誤。

前頂。甲乙顖會後壹寸伍分。骨間陷者中。甲乙

按明堂作百會前壹寸類經亦載此說非矣入門後作上

百會甲乙一名三陽五會甲乙一名鬼門一名涅丸宮本事一名巔上一名天滿類經一名三陽一名五會大成巔上素問前頂後壹寸伍分頂中央旋毛中陷可容指甲乙頭頂凹中肘后直兩耳尖發揮

按頂中央之頂外臺作項字誤資生神應發揮類經聚英古今醫統容指作容豆無異義甲乙旋毛中三字以大概而言之肘后方作直鼻中入髮際伍寸神應經作去前髮際伍寸後髮際柒寸是以骨度折量也然腦户在枕骨上妄用折量多差謬

三陽五會。史記扁鵲傳正義曰三陽太陽少陽陽明。五會百會。胷會。聽會。氣會。臑會也。或以此說註之。難經曰。八會者。何也。然。府會。大倉。藏會季脇。筋會陽陵泉。髓會絶骨。血會膈俞。骨會大杼。脈會大淵。氣會三焦外一筋。直兩乳内也。熱病在内者。取其會之氣穴也。滕萬卿註之曰。按内經。載熱病五十九刺法。各處熱邪隨分取之由。是立八會法以適簡約。蓋此八會十三穴。諸熱在内者。各隨其部分而治之。虢太子尸蹷。取外三陽五會者。豈止百會一穴。疑兼取此會之五處者。可知矣。然三陽五會之名。出甲乙經。又肘后方。治尸蹷方。針百會針入三分。補之外臺方。治尸厥針百會。通鑑。唐高宗。苦頭重。不能視。召侍醫秦鳴鶴。診之。剌百會腦戸二穴。胡三省曰。鍼灸經。百會。一名三陽五會。腦戸一名合顱。是爲百會。一名者。尚矣。孫真人曰。脚氣舊法。多灸百會。風府。五臟六腑俞募頂來。灸者悉覺引氣向上。愼不得灸。以上大忌之。

後頂甲乙一名交衝。甲乙百會。後壹寸伍分。枕骨上甲乙陷者中。明堂

按入門。百會後之後。作下。明堂。枕上有玉字非。

強間甲乙一名大羽。甲乙後頂。後壹寸伍分。甲乙腦戸。前壹寸半。千翼　一曰禁灸類經

按。先取枕骨上。定腦户。腦户。百會間。直後項強間。千金翼曰。大門腦後尖骨上壹寸。似指強間。羽門。字畫相近。詳于奇穴部。

腦户（素問）一名匝風（作各切）一名會額（甲乙）一名合顱（外臺）跳骨上。強間後壹寸伍分。（甲乙）不可灸。令人瘖。（甲乙）刺頭中腦户。入腦立死。（素問）灸五壯。（次註）

按。跳骨空論曰。脊骨上空在風府上。王冰曰。上謂腦户穴。跳。當作枕。諸書作枕。是枕骨。圜頭大骨也。仰卧當枕者。骨空論云。頭横骨為枕。是也。自後項至此廣參寸。凡言枕骨。腦户蓋在枕骨之鋭者。上又云。顱際鋭骨。蓋指之也。甲乙曰。跳骨蓋以鋭骨爲跳骨跳字。似有其意也。通鑑。秦鳴鶴。刺高宗。胡三省曰。鍼令人瘂。舊傳。鳴鶴。鍼微出血。頭疼立止。蓋此穴以禁鍼微出血也。

風府。素問 一名舌本。甲乙 一名鬼枕。一名鬼穴。千金 一名曹谿。本事 髓空在腦後伍分顱際銳骨之下。素問 七次脈頸中央之脈督脈也。名曰風府。靈樞 項上入髮際壹寸。大筋內宛宛中。疾言其肉立起。言休其肉立下。甲乙

禁灸 甲乙

按。骨空論云。風府在上椎。上椎者。蓋天柱骨之第一節。伏而不見者也。宛宛。舊作穴穴。今訂之。此穴直高骨下。不拘折量。故甲乙經。不言腦户下壹寸

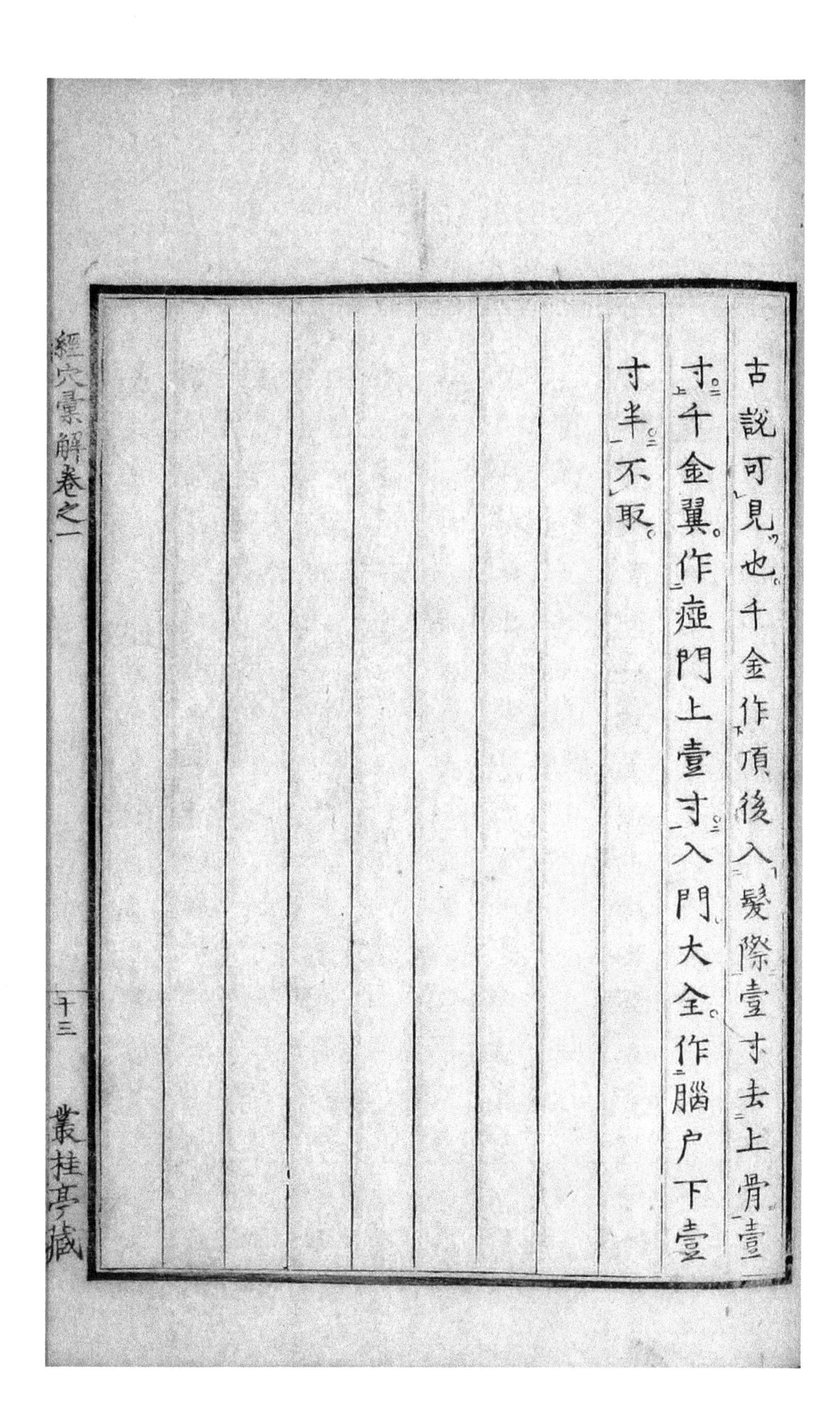

古說可見也。千金作頂後入髮際壹寸。去上骨壹寸。千金翼。作瘂門上壹寸。入門大全。作腦户下壹寸半。不取。

叢桂亭藏

頭第二行直眉頭俠中行各壹寸半却行至玉枕凡十穴。

五處 甲乙 督脈傍去上星壹寸伍分。甲乙 曲差後壹寸 增註

禁灸 甲乙 灸三壯 外臺

按入門五作巨字誤。類經金鑑作曲差後伍分非也。第二行前從眉頭睛明後至天柱係一線定之。曲差至玉枕爲陸寸半布置諸穴。

承光 甲乙 五處後貳寸 甲乙 外臺。五處後壹寸 千金 千翼 次註。五處後寸半 資生 聖濟。

禁灸 甲乙

按三說不知孰是。姑從甲乙經。入門作巨處後字誤。

通天甲乙一名天臼。甲乙承光後壹寸伍分。甲乙

按。臼。外臺作白。寶鑑作伯。類經。一說直百會傍壹寸伍分。是以承光爲五處後壹寸伍分。故有此解。

絡却甲乙一名強陽。一名腦蓋。甲乙通天後壹寸參分。甲乙

禁刺入門

按腦。醫統作胸。字誤。外臺作反行。在通天後反行。無謂。神應經云。腦後髮際上兩傍起肉上。各壹寸參分。腦後枕骨俠腦戶。自髮際上肆寸半。然玉枕俠腦戶蓋此說非也。諸書作通天後壹寸伍分。說見下。

玉枕甲乙絡却後柒分。甲乙次註柒分半。千金。千金翼。外臺。俠腦戶傍

壹寸参分。起肉枕骨。入髮際参寸 甲乙 一云禁刺。

類經

按資生經曰。銅人云。玉枕在絡却後壹寸半。明堂上下經。皆云柒分半。若以銅人爲誤則足太陽穴亦同若以明堂爲誤。不應上下經皆誤也。予按素問註。云玉枕在絡却後柒分。則與明堂之柒分半。相去不遠矣。固當從素問爲準。然而玉枕二穴。既俠腦戸矣。不應止柒分。則至于腦蓋也。銅人壹寸半。蓋有說焉。識者當有以辨之。註曰。今以諸經校勘在絡却後寸半者。是張介賓曰。甲乙經之數。與督脉之數。不相合。蓋骨度篇。載中行分寸。未言側行意側行長不及中行乃可知也顱項圓形不同故分寸不可定也。絡却曰壹寸參分玉枕曰柒分資生聖濟作絡却後壹寸伍分發揮類經聚英入門醫統呉文炳金鑑大成從之非是以上諸穴俠中行壹寸伍分至此曰壹寸參分是側行稍狹貳分猶腹部狹於胸部也古來之說不可不知也側行之穴難折量故不取入髮際參寸五字依枕骨上起肉村上親方骨度正誤承靈腦空去督脉各貳寸壹分風池去督脉各貳寸絡却玉枕去督脉各壹寸伍分天柱去督脉壹寸參分未詳其所據。

蓋膻說

頭第三行直瞳子上入髪際伍分却行至腦空

九十穴

臨泣（甲乙）當目上眥直入髪際伍分陷者中（甲乙）正睛取之（類經）一云禁灸（類經）

按氣府論云直目上髪際内各五次註云謂臨泣目窓正營承靈腦空也上眥千金千金翼外臺同次註資生聖濟以下無眥字是也第三行前自直瞳子後至風池引一線定第三行自前髪際至腦空折量爲伍寸伍分入髪際伍分取臨泣次第處置腦空俠玉枕其穴易得也

目窓（甲乙）一名至榮（甲乙）臨泣後壹寸（甲乙）

按榮外臺作營壹寸大成作寸半非也

正營甲乙目窓後壹寸甲乙

承靈甲乙正營後壹寸伍分甲乙一云禁刺類經

按千金翼作壹寸非也

腦空甲乙一名顳顬甲乙承靈後壹寸伍分俠玉枕骨下陷者中甲乙

按顳大全作頸誤玉枕者穴名骨者枕骨俠玉枕傍有骨其下故言骨下千金作俠玉枕傍枕骨下陷中是次註曰俠枕骨後枕骨上不可讀入門云搖耳有空不取與奇穴顳顬同名異穴聖濟曰魏公苦患頭風發卽心悶亂目眩華陀當鍼而立愈

後髮際傍行凡五穴

瘖門素問一名舌横一名舌厭甲乙一名瘂門千翼一名舌

腫寶鑑項後中復骨下素問後髮際宛宛中入繋舌本

仰頭取之甲乙不可灸灸之令人瘖甲乙禁深刺類經

按氣府論云項中央二次註曰謂風府瘖門二穴

也舌横外臺作横舌舌厭醫統作厭舌瘂入門作

啞千金翼曰一云腦戶下參寸次註曰去風府壹

寸呉文炳從之聖濟神應發揮呉文炳皆曰入髮

際伍分寶鑑曰風府後伍分說已見此穴不須折

量古書不言分寸者可見張介賓曰大椎上骨節

空也復當作伏蓋項骨三節不甚顯故云伏骨下

經穴彙解卷之一　十七　叢桂亭藏

也。

天柱（素問）項中。大筋兩傍。（素問）挾項後髮際。大筋外廉。陷者中。（甲乙）

按口問篇曰。天柱經。挾頸。挾頸者。頭中分也。經者。蓋所謂流注也。

風池（素問）風府兩傍。（素問）顳顬後。髮際陷者中。（甲乙）按之引於耳中。（次註）

按入門曰。耳後壹寸半拘兵顳顬腦空一名。是與頷厭等註顳顬。不同。資生。既作腦空是也。類經曰。大筋外廉。非矣。聚英。醫統。大成。作顳顬後。腦空下。誤也。

耳上凡八穴

耳上之圖

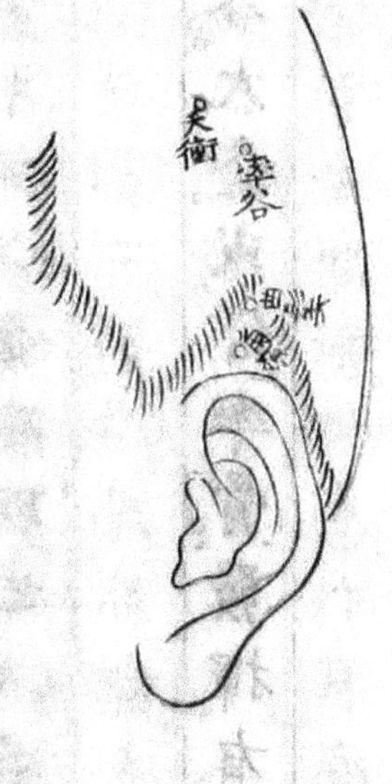

天衝 甲乙 耳上如前參分 甲乙

按千金衝作衢誤千金千金翼外臺資生作參寸誤發揮類經聚英大成作耳後髮際貳寸然千金側人明堂圖中天衝在懸顱懸釐後耳上穴明矣別有伏人耳後六穴此穴不與焉素問云兩角上

各二。註曰。謂天衡曲鬢。甲乙有頭緣耳上却行至完骨部。自天衡始。故今以此穴取耳上貳寸。如前參分入門。作承靈後壹寸半。是腦空穴也。醫統作耳後髮際貳寸。如前參寸。金鑑作從率谷後行耳後參分許入髮際貳寸。並非也。諸書言耳後者蓋耳上之誤。特聖濟與甲乙同。

率谷。甲乙耳上入髮際壹寸伍分。嚼而取之。甲乙陷者宛宛中。明堂

按外臺明堂作蟀谷。大全或作率骨。發揮有如前參分字。不知何據。

角孫。甲乙耳廓上。中間。開口有孔。甲乙髮際下。次註、禁刺

入門

按千金。千金翼。外臺。資生。聖濟。神應。作耳廓中間上。次註作耳上郭表之中間上髮際之下入門吳文炳作耳廓上中間髮際下得之氣府論云耳郭上各一次註曰謂角孫甲乙廓字下蓋脫上字今補之

曲鬢 甲乙 耳上入髮際曲隅陷者中鼓頷有空 甲乙

按明堂大全作曲髮王執中曰曲髮疑髮（髮當作鬢）又字誤也聚英作曲髩千金千金翼無入字是宜削之世人以耳前曲周下小曲髮際爲曲鬢甲乙屬耳上部千金千金翼共不屬耳前入門曰以耳掩

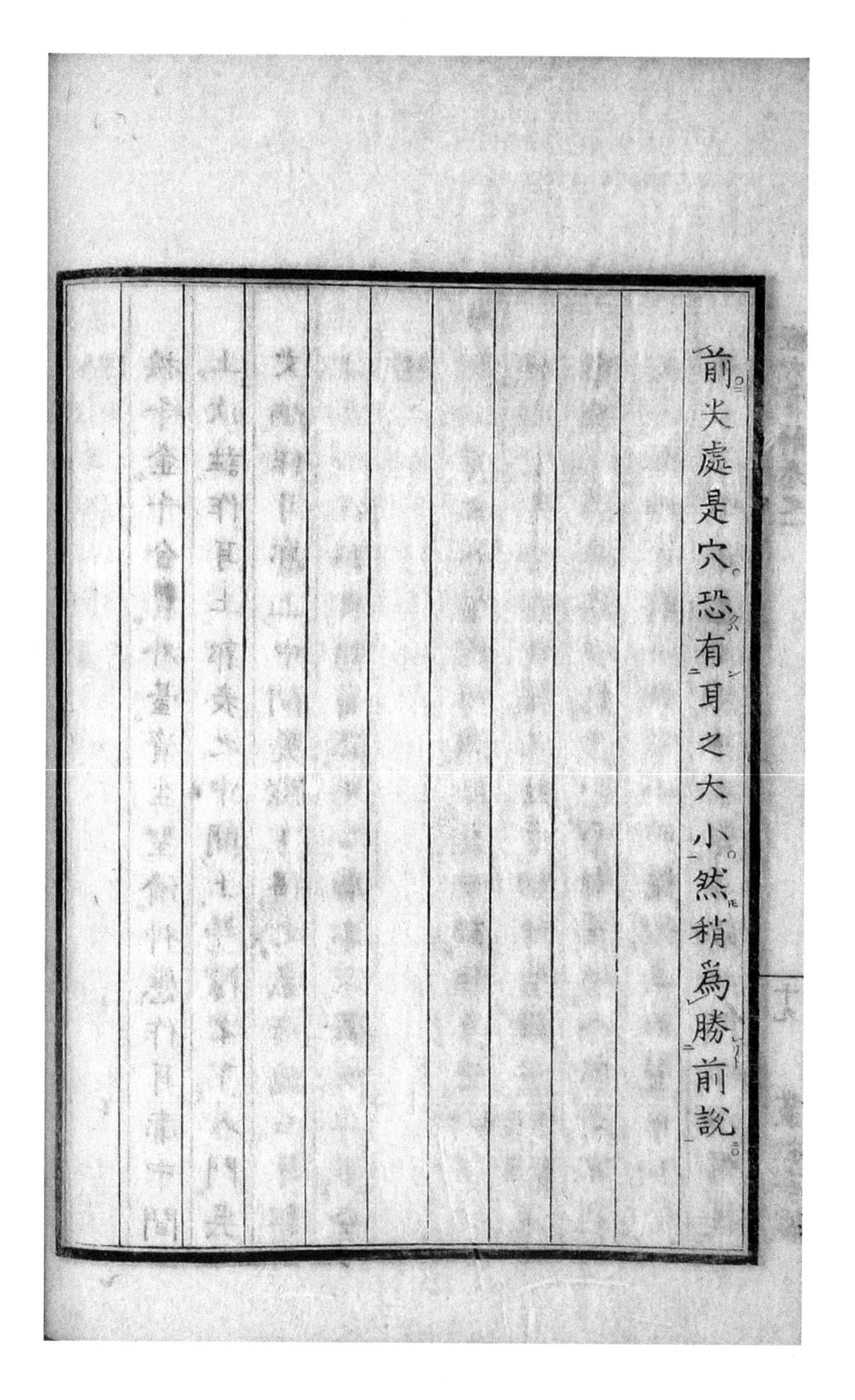

前尖處是穴恐有耳之大小然稍爲勝前説

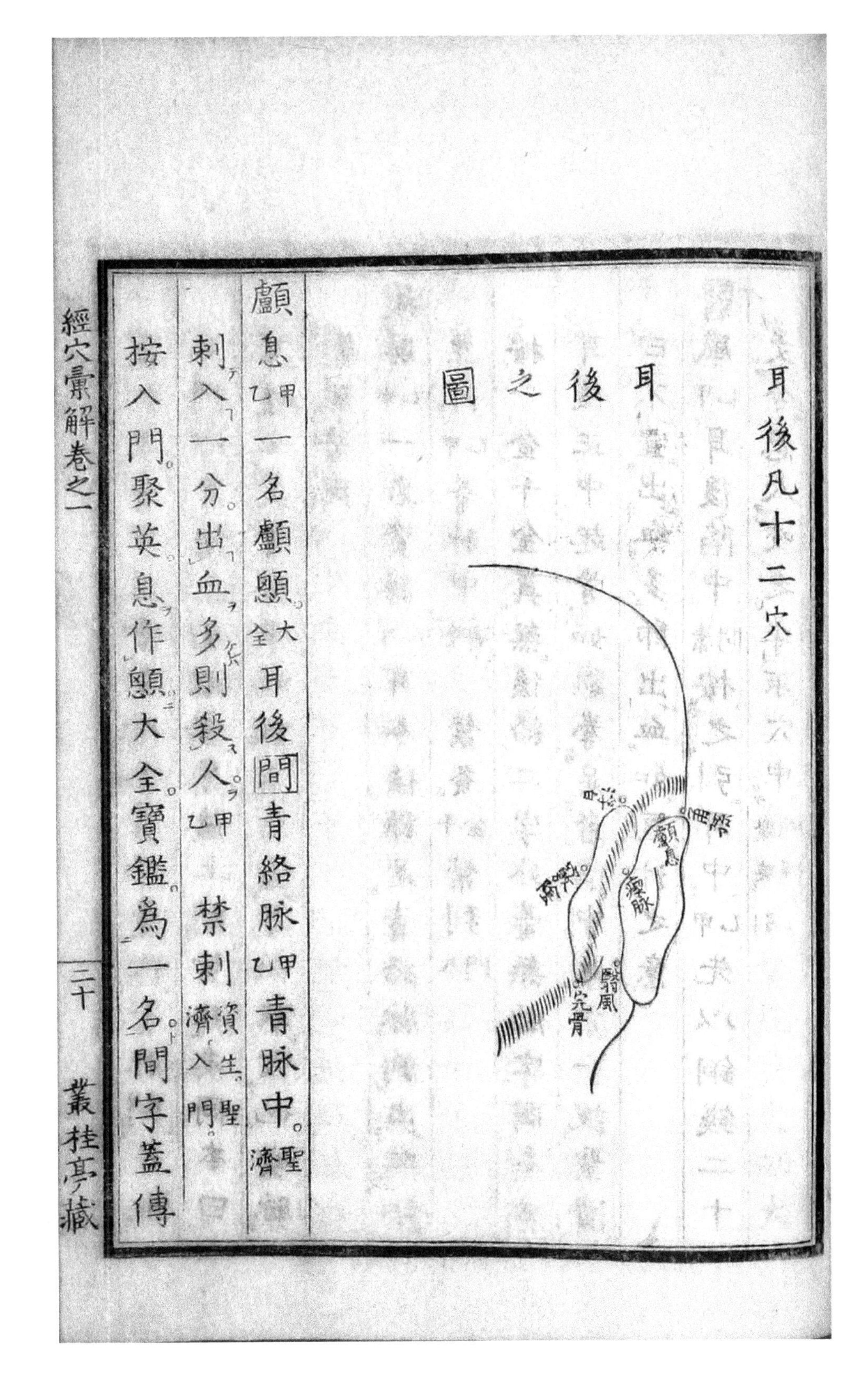

耳後凡十二穴

耳後之圖

顱息甲乙一名顱顖。大全耳後間青絡脈甲乙青脈中。聖濟

刺入一分。出血多則殺人。甲乙禁刺資生。聖濟入門。

按入門。聚英。息作顖。大全。寶鑑。為一名。間字蓋傳

經穴彙解卷之一　二十　叢桂亭藏

寫誤在青字上千金千金翼外臺作青脉間是也入門作耳後上金鑑作耳後上間皆非矣岡本曰耳後上尖骨陷中此說近是逼耳而取穴也瘈脉翳風皆同

瘈脉甲乙一名資脉甲乙耳本後雞足青絡脉刺出血如豆汁甲乙青脉中聖濟禁灸千金禁刺入門按千金千金翼無後絡二字外臺無脉字岡本曰耳後正中起骨如雞拳足者陷中是亦一說聖濟曰不宜出血多即出血如豆汁之意

翳風甲乙耳後陷中素問按之引耳中甲乙先以銅錢二十文令患人咬之尋取穴中聚英引鍼經

按明堂云。耳後尖角是與瘈脈混。醫統。呉文炳。大成。從之。入門。作耳珠。後並非。

浮白 素問 耳後入髮際壹寸。甲乙

按千金翼註曰。翳風前竅陰。後外臺曰。下曲頰後。並非。據完骨。外上定浮白。下定完骨中間取竅陰。

竅陰 甲乙 一名枕骨。類經 完骨上枕骨下搖動應手。甲乙

按資生聖濟等。作搖動有空。無應手之文。似不可解。入門。醫統。作搖耳有空。甲乙。搖動。言動脈。故曰。應手。金鑑。作耳後高上枕骨下。非也。與足部竅陰。同名異穴。聖濟作首竅陰。

完骨 素問 耳後入髮際肆分。甲乙 旁。完骨。增註

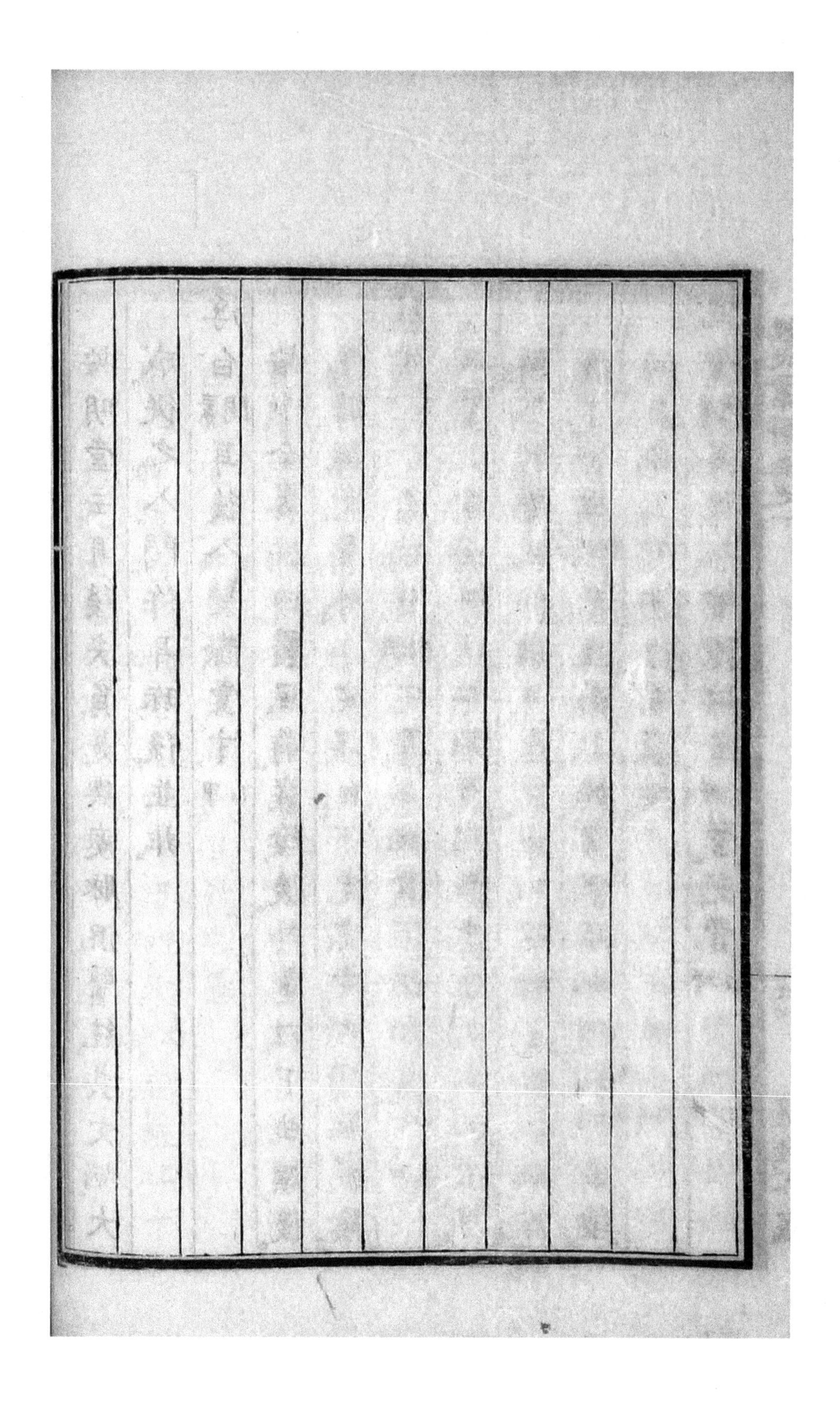

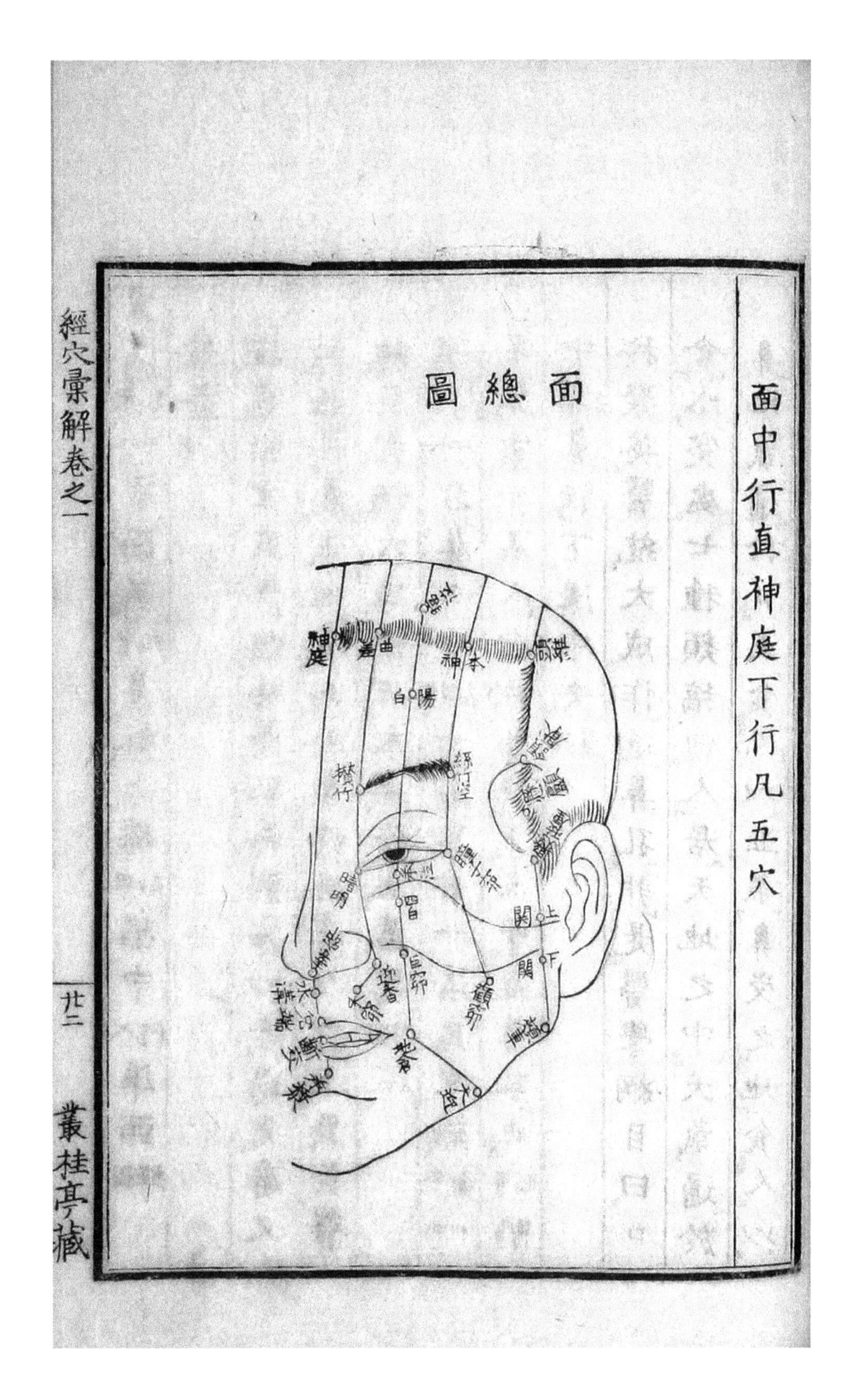
經穴彙解卷之一
面總圖
面中行直神庭下行凡五穴
廿二
叢桂亭藏

素窌甲乙一名面王。甲乙鼻柱上端。甲乙陷中。入門準頭。類經

禁灸甲乙

按窌。諸書或作髎。外臺作窌。髎窌以音通用。窌又同。無異義。下倣此。王。外臺作玉。資生作上。聚英醫統。呉文炳大成。作正。大全作土。蓋寫誤。

水溝甲乙一名鼻人中。肘后一名鬼宮。一名鬼客廳。千金一名鬼市。一名人中。千金翼鼻柱下人中。直唇取之。甲乙陷中。類經鼻柱下溝中央。神應

按聚英。醫統。大成。作近鼻孔。非是。醫學綱目曰。口含水突處。七種類稿曰。人居天地之中。天氣通於鼻。地氣通於口。天食人以五氣。鼻受之。地食人以

五味口受之此穴居中故云若曰人有九竅自人中而上皆雙自人中而下皆單故云此則可名爲竅中又老子釋畧曰鼻爲天門口爲地戸天地間人中是也

兌端（千金）唇上端（甲乙）上唇中央尖尖上（入門）

按甲乙兌端作壯骨字誤目録又作兌骨明堂作頤前下唇之下開口取之是承漿穴不可從大全曰唇珠上珠字無謂此強作歌括之弊也

齗交（素問）唇内齒上齗縫中（甲乙）齗縫筋中（資生）

按齒上類經作上齒千金外臺無中字金鑑大成齗作齦義同内經集註曰齗交穴一在唇内齒下

齗縫中。蓋上古以齗交有二。督脉之齗交入上齒任脉之齗交入下齒也。以上下之齗齒相交故名齗交。未知據何書。不可從。盧復醫種子曰。蜀僧慧融入淅遊會稽。針佝僂人。使之卧。取齗交穴骨節漸伸。尋愈。此穴乃督之井也。脊中骨節屬督脉。所轄氣機一透骨自然伸。似玄門轉河車法。能開關交會。可至長生。況一伸骨節乎。斯法書不從載。慧融靜中悟出。

承漿 甲乙 一名天池 甲乙 一名鬼市。千金 一名懸漿。資生 一名垂漿。聖濟 頤前唇之下。開口取之。甲乙 唇下宛宛中。肘后 下唇之下。千金 下唇稜下。明堂 陷中。發揮

面第二行。直曲差下行。凡八穴

攢竹甲乙一名員在。一名始光。一名夜光。一名明光甲乙一名元柱。醫統眉頭。又云。眉本。素問陷者中。甲乙禁刺灸。入門

按員在。資生作員柱。寶鑑大成作圓柱。在。疑寫誤。明光。資生。大成。作光明。始光。聚英。醫統。呉文炳。作始元。

睛明甲乙一名泪孔甲乙〇外臺作淚孔。泪淚同字。一名淚空聚英目內眥。素問內眥外。甲乙禁灸資生禁刺入門

按千金。作精明。精睛音通。類經曰。內眥外。壹分。究宛中。入門曰。紅肉陷中。並非也。甲乙。次註。皆曰灸

三壯醫統曰。或問。睛明。迎香。承泣。絲竹空。皆禁灸何也。曰。四穴。近目。目畏火。故禁灸也。以是推之。則知睛明可灸。王註誤矣。而醫統穴下。註灸三壯。可謂矛盾。

迎香甲乙一名衝陽。甲乙鼻空外廉。素問禾窌上。鼻下。孔傍。甲乙不宜灸。外臺

按孔。外臺。作乳。字誤。千金。作和窌上壹寸鼻孔傍。誤。入門。呉文炳。並大成。作禾窌上壹寸。神應經。作鼻孔傍伍分。皆非。說見下。

禾窌甲乙一名頔。外臺一名長頻。資生直鼻孔下。俠谿水溝傍伍分。甲乙禁灸。入門

按窌明堂作聊蓋音相通頻大成作顴長頻大全作長髎聚英作長頰又大全曰禾髎一名禾窌髎窌同字故不取俠字下谿字衍千金等無之是也宜削之禾窌在水溝傍伍分迎香又在禾窌上鼻下孔傍則迎香逼鼻孔取之氣府論云鼻孔外廉此之謂也千金曰迎香在禾窌（禾原作和字訛）上壹寸是入鼻孔神應資生發揮等迎香註曰鼻孔傍伍分者誤矣經絡流注右左行左右行則歷水溝過鼻孔外廉而上可以證也資生曰銅人經禾髎二穴在鼻孔下俠水溝傍伍分明堂下經作禾窌窌卽髎也上經乃作和窌皆云在鼻孔下俠水溝傍伍

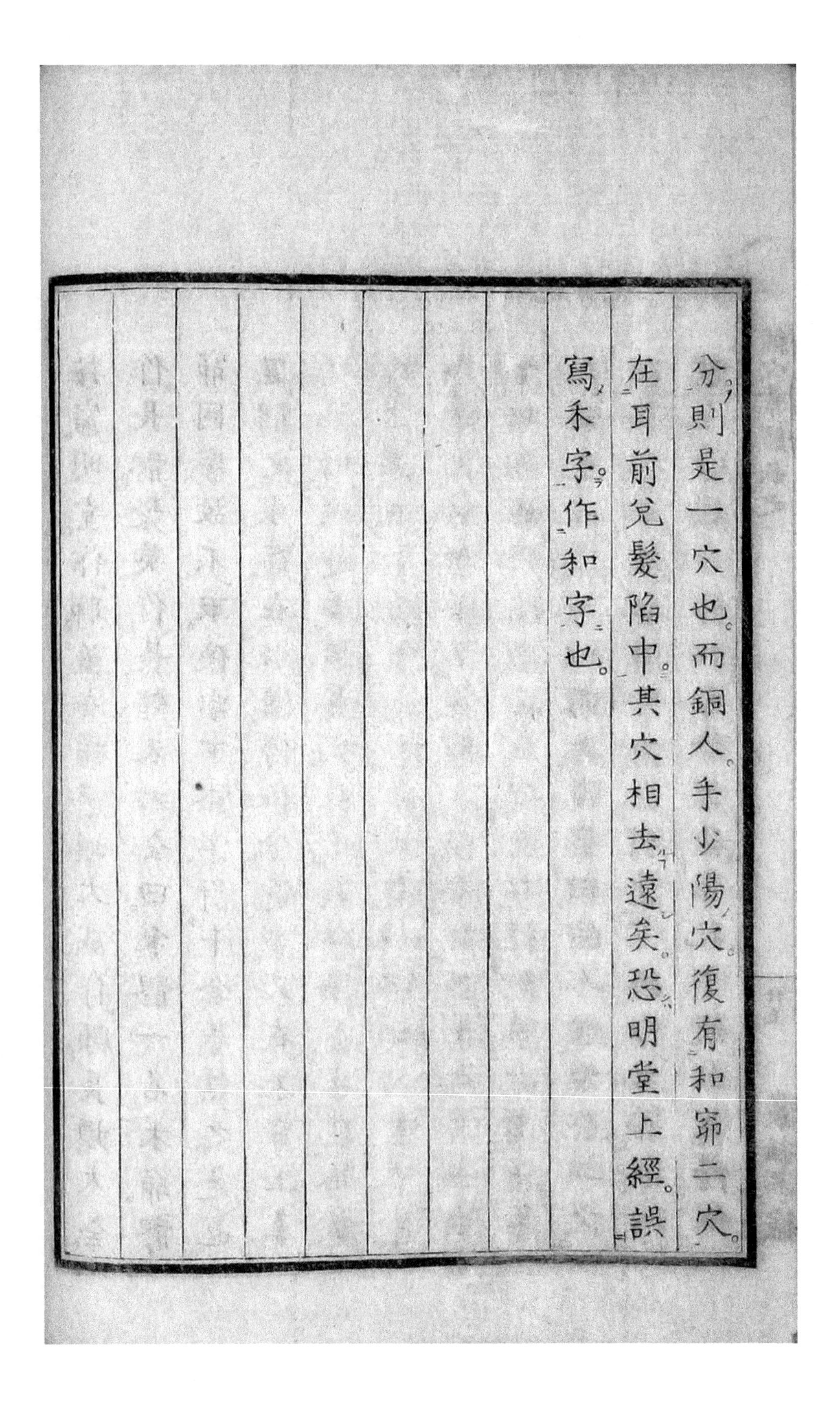
分則是一穴也。而銅人手少陽穴復有和窌二穴。在耳前兌髮陷中。其穴相去遠矣。恐明堂上經誤寫禾字作和字也。

面第三行直目上臨泣ヨリ下行凡十二穴

陽白甲乙眉上壹寸直瞳子。甲乙

按入門。陽作楊字誤。資生聖濟作直目瞳子。

承泣甲乙一名鼷穴。一名面窌。甲乙目下柒分。直目瞳子。陷中。資生正視取之。金鑑　禁灸甲乙　灸三壯。資生　禁刺。資生

按鼷。外臺作谿。千金翼曰目下柒分匡骨下。外臺甄權曰眼下捌分。共非是。金鑑曰目下胞

四白甲乙目下壹寸。面頄骨顴空。甲乙直瞳子。發揮正視取之。類經　禁灸。類經入門

按頄。顴。頯。頔。義未詳。頄音逵。玉篇面顴也。廣韻頯。頰

間之骨集韻與頯同。髗骨也。顴音權廣韻頄也集韻。輔骨曰顴或作䪹或作髗與頄頯音別義同通作權頯音逵集韻面頯也說文權也集韻頰骨一曰厚也。或作頄頔音拙面秀骨博雅顴頄頔也俱混為同義。然一骨數字可疑因考頄是頰間骨之總名餘字是頄骨中之名。何則頔者漢高祖隆頔龍顏史記作隆準準音拙集韻面顴也莊子顙頯然註高露發美之貌爾雅博而頯註中央廣兩頭銳乃頄骨秀銳高露者也高祖頄骨鼻傍高秀連頰骨故曰龍顏从出高出也。由是觀之目下宛宛際纔容一指乃壹寸也其間柒分而取承泣其餘参分。到顖骨秀高處。是顴也。顴髎下。註已曰兌骨。可以見也。面舊作向。氣府論云。面鼽骨空。各一。王冰曰。謂四白穴也。又下文顴髎註有面頄骨字。内經本不分部。故曰面。甲乙經據内經。遂用面字。傳寫誤作向。故今改之。千金。外臺等。無面以下五字。

鼽字書不載。蓋頄古字。經脉篇云。目黄口乾鼽衄。又云。淚出鼽衄。从九者音裘。說文病寒鼻窒也。鼽鼽易混。故記。

巨窌 甲乙 俠鼻孔傍捌分直瞳子。甲乙

按巨。千金翼。資生。作臣字誤。聚英。呉文炳。醫統。大成。共曰平水溝非也。大成引聚英曰。巨髎一名巨窌。今本不見。大全。亦爲一名。髎窌義同。今不取。

地倉甲乙一名會維。甲乙俠口傍肆分。如近下。甲乙有脈微微動。若久患風。其脈亦有不動者。本事

按會。外臺寶鑑。作胃。千金翼。一說曰。口角一韭葉近下動脉。資生。本事。口下有吻字。分下有外字。發揮。無如近下三字。

大迎素問一名髓孔甲乙在口下當兩肩。素問曲頷前壹寸參分。骨陷者中。動脈甲乙地倉下斜向後頷骨上。增註

按參分。千金。千金翼。外臺。資生。聖濟。大成。作貳分。次註以下諸書。皆同甲乙。

面第四行直本神下行凡六穴

絲竹空甲乙一名巨窌甲乙一名目髎外臺眉後素問陷者中

甲乙眉尾骨後入門動脉增註禁灸甲乙

按目髎大全作月髎巨窌恐字誤入門脫空字

瞳子髎甲乙一名太陽一名前關千金註一名後曲外臺目

外去眥伍分甲乙動脉增註禁針灸入門

按資生曰前關目後半寸亦名太陽穴又曰銅人有上關下關各二穴素問亦同明堂上下經有上關而無下關惟上經有前關穴又不與下關穴同在上關之下恐別自是前關穴一名太陽穴理風赤眼頭痛目眩澁等疾所不可廢故附入于下關

之後。乃今據千金方前關。太陽卽瞳子髎一名也。
資生。爲別穴者誤。
顴髎甲乙一名兌骨。甲乙銳骨下素問面頄骨下廉陷者中。
甲乙兌骨端。外臺禁針灸。入門

面第五行。直頭維下行。凡十二穴

頷厭 甲乙 耳前角上。素問 曲周顳顬上廉。甲乙 頭維直下髮際。增註 禁深刺。次註

按醫學綱目曰。周當作角。非曲周者。自額角下耳前髮際。其形曲周者。顳顬上廉。資生。大全。並言腦空上廉。非也。顳顬。註家多誤為腦空。蓋腦空一名顳顬。遂以相混耳。既有上廉等之語。非穴名者。可見也。即俗所謂米嚙也。自髮中出顏面者。顳顬上廉。頷厭也。中央懸顱也。下廉懸釐也。皆取之髮際。故謂曲周。千金傷寒篇曰。顳顬穴在眉眼尾中間上下有來去絡脉。是其非腦空者。可見。外臺作曲

角。次註。醫統。作曲角下。資生。聖濟。發揮。聚英。吴文炳。寶鑑。作曲周下。類經。作耳前曲角。入門。作對耳額角外。金鑑。作兩太陽曲角上廉。大成。作曲周上。愈精愈疑。稱角者。有二。額髮際作角者一。耳前髮際作角者一。故内經。頭維曰額角。又頷厭懸釐曰耳前角。又言曲周者。額角下。髮際曲周者是也。言耳前角者。髮際曲周而更出。又作角者是也。故内經。有角上角下之語。腦空穴在腦骨之空處。故曰腦空。一名顳顬。不與此顳顬同。故讀古文者。不可不知也。諸家不知角義及腦空義。妄意改易。可不愼哉。諸書謂曲周下者。即就眉上髮際而言。下懸顱

懸釐謂曲周上者就耳前髮際斜向目外眥者而言上上下字不易解世人多疑之故一從甲乙經千金同曲角曲周者所謂小額也

懸顱（甲乙）一名髓空（素問直解）耳前角下（素問）曲周顳顬中（甲乙）按骨空論云髓空在腦後伍分與此不同素問直解又載一說曰腦後參分銳骨之下是與骨空論髓空混今為一名髓空者未知其當否暫記以資博聞千金翼作顳顬上廉中外臺作曲角顳顬上廉次註作曲角上資生聖濟發揮寶鑑作曲周上聚英作顳顬中廉入門作斜上額角中醫統作曲角下顳顬上廉呉文炳領厭懸顱二穴同註類經

金鑑作耳前曲角上兩太陽之中大成作曲周下

以上諸說要皆是大同小異而與頷厭混

懸釐甲乙曲周顳顬下廉甲乙

按千金翼釐作氂字誤外臺周作角次註醫統吳文炳作曲角上兩太陽下廉資生聖濟發揮聚英寶鑑大成作曲周上金鑑作耳前曲角上入門作從額斜上頭角下陷誤

上關素問一名客主人素問一名客主一名容主大全一名太陽醫壘元戎耳前上廉起骨端開口有孔甲乙動脈宛宛中資生下關上隔一骨醫門摘要禁深刺甲乙

按千金千金翼外臺次註無端字發揮類經聚英

入門醫統。吳文炳。作起骨上廉大成。作耳前骨上。千金翼。作聽會上壹寸。金鑑曰。聽會上直行壹寸。並非也。靈樞云。刺上關者呿。不能欠。欠者呿。張口也。欠張口而復合也。是開口取穴也。即甲乙所謂開口有孔之義也。聖濟曰。若刺深令人欠而不得故是費解。

下關　素問客主人。下耳前。連脉。下空下廉。合口有孔。張口即閉。甲乙耳中有乾擿抵不可灸。甲乙○註曰擿抵。一作適之。不可灸。一作鍼久留鍼

按靈樞云。刺下關者。欠不能呿。是合口有孔也。資生。類經。聚英。入門。醫統。寶鑑。無下空二字。連古文

叢桂亭藏

動字。千金翼曰。耳門下壹寸。宛宛中。動脈際。側臥
開口取之非。
頰車甲乙一名機關。一名鬼牀。千金一名曲牙。類經耳下曲
頰端。陷者中。開口有孔。甲乙
按氣府論云。耳下牙車之後。各一。次註曰。謂頰車
二穴也。類經。呉文炳。寶鑑。大成。作曲頰端近前。聚
英。頰作頷。金鑑作近前。捌分。入門。作耳下捌分。據
千金及翼方。卒中風口噤不開。灸機關二穴。穴在
耳下捌分。小近前之說。並似拘矣。資生。引千金曰。
一名機門。門是關字之誤。又千金翼曰。耳下二韭
葉。宛宛中。側臥張口取之。不可從也。又千金十三

鬼穴。耳前髮際。宛宛中耳垂下伍分。名鬼牀。是指頰車。千金翼。無耳前髮際。宛宛中之七字。今移入一名。

叢桂亭藏

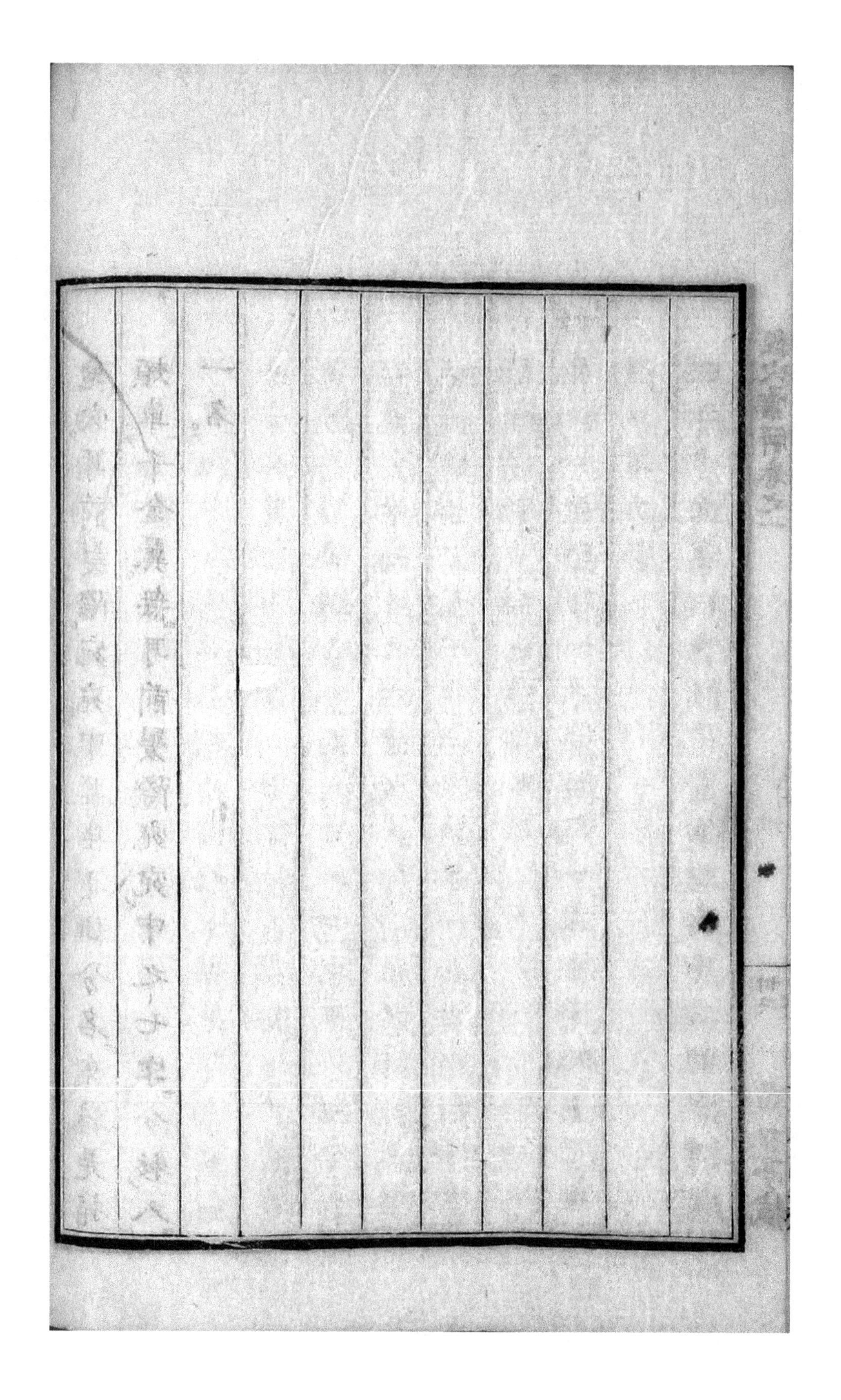

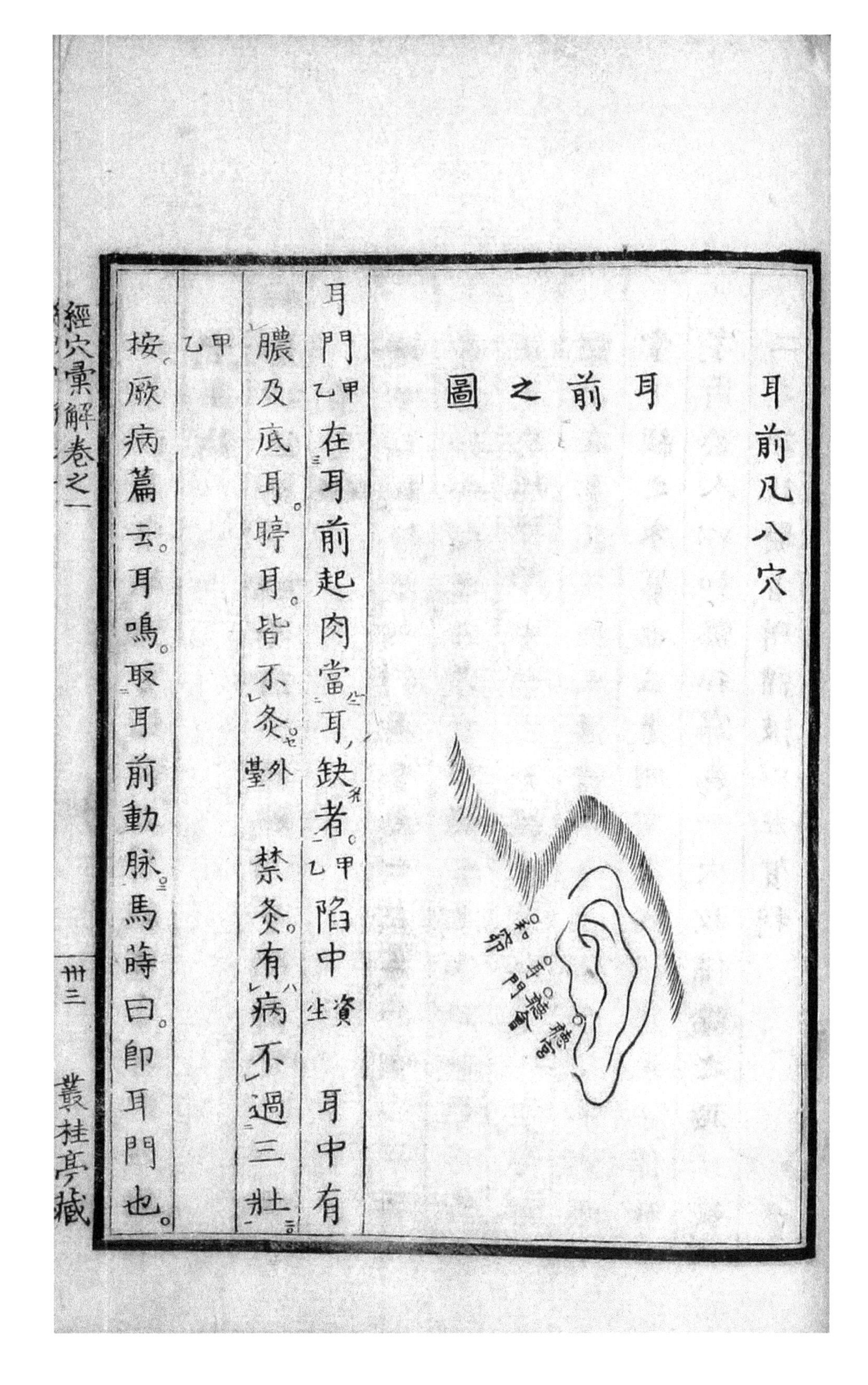

耳前凡八穴

耳前之圖

耳門甲乙在耳前起肉當耳缺者。甲乙陷中資生耳中有膿及底耳聤耳。皆不灸。外臺禁灸。有病不過三壯。

甲乙

按。厥病篇云。耳鳴。取耳前動脈。馬蒔曰。即耳門也。

經穴彙解卷之一　卅三　叢桂亭藏

外臺作耳中缺者。實鑑從之。醫統作當耳缺者缺中。並非。

和髎千金銳髮下。素問耳前橫動脉。甲乙耳門前。入門一云禁灸。類經

按甲乙和作禾。入門同。千金。千金翼。外臺以下諸書作和。今從之。三書並無横字。資生曰。和髎二穴。在耳前銳髮陷中。明堂上經亦有和窌二穴。窌即髎也。在鼻孔下俠水溝傍伍分。即銅人之禾髎。明堂下經之禾窌也。或者。明堂上經誤寫禾字作和字爾。恐人以和髎和窌爲一穴。故備論之。按一疑二之誤。銳髮者。所謂波以左賀利。

聽會甲乙一名聽呵。資生一名後關。一名听呵。大全耳前陷者。中張口得之動脉應手。甲乙耳微前。明堂耳珠前。入門

按類經。呵作河。資生神應發揮類經聚英醫統寶鑑大成作上關下壹寸非矣類經金鑑作去耳珠下。亦非。本事方曰。側卧張口取之。呉文炳曰。一名多所聞耳中珠子。如赤小豆是聽宮之註。聚英醫統。亦同。蓋誤聽宮作聽會也。千金翼舌病篇曰聽會。在上關下壹寸動脉宛宛中。一名耳門亦誤。

聽宮甲乙一名多所聞。素問一名窓籠。靈樞在耳中珠子。大明如赤小豆。甲乙

按氣血論。耳中。多所聞二穴。根結篇。少陽根於竅

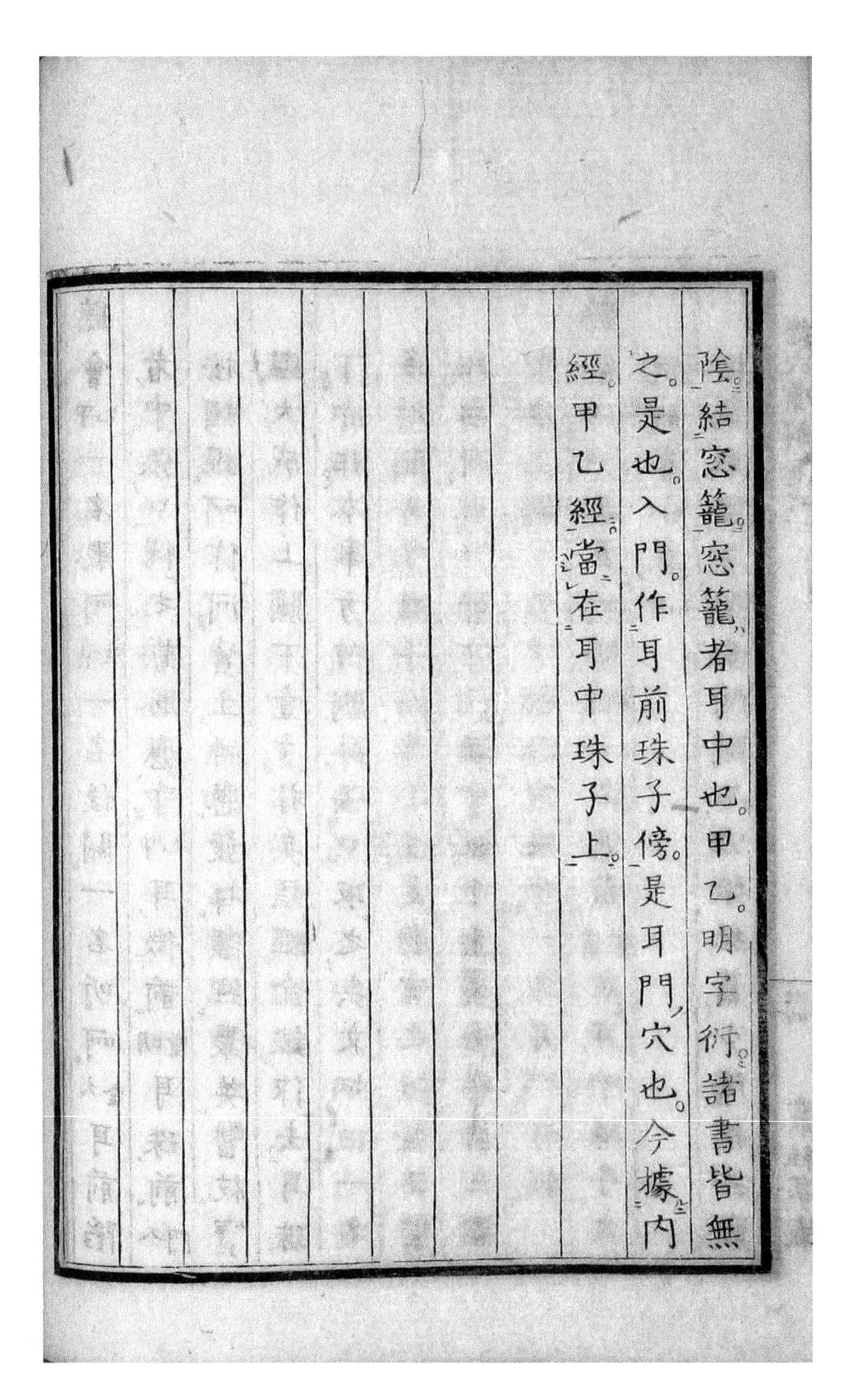
陰。結窓籠。窓籠者耳中也。甲乙。明字衍。諸書皆無之。是也。入門。作耳前珠子傍。是耳門穴也。今據内經。甲乙經。當在耳中珠子上。

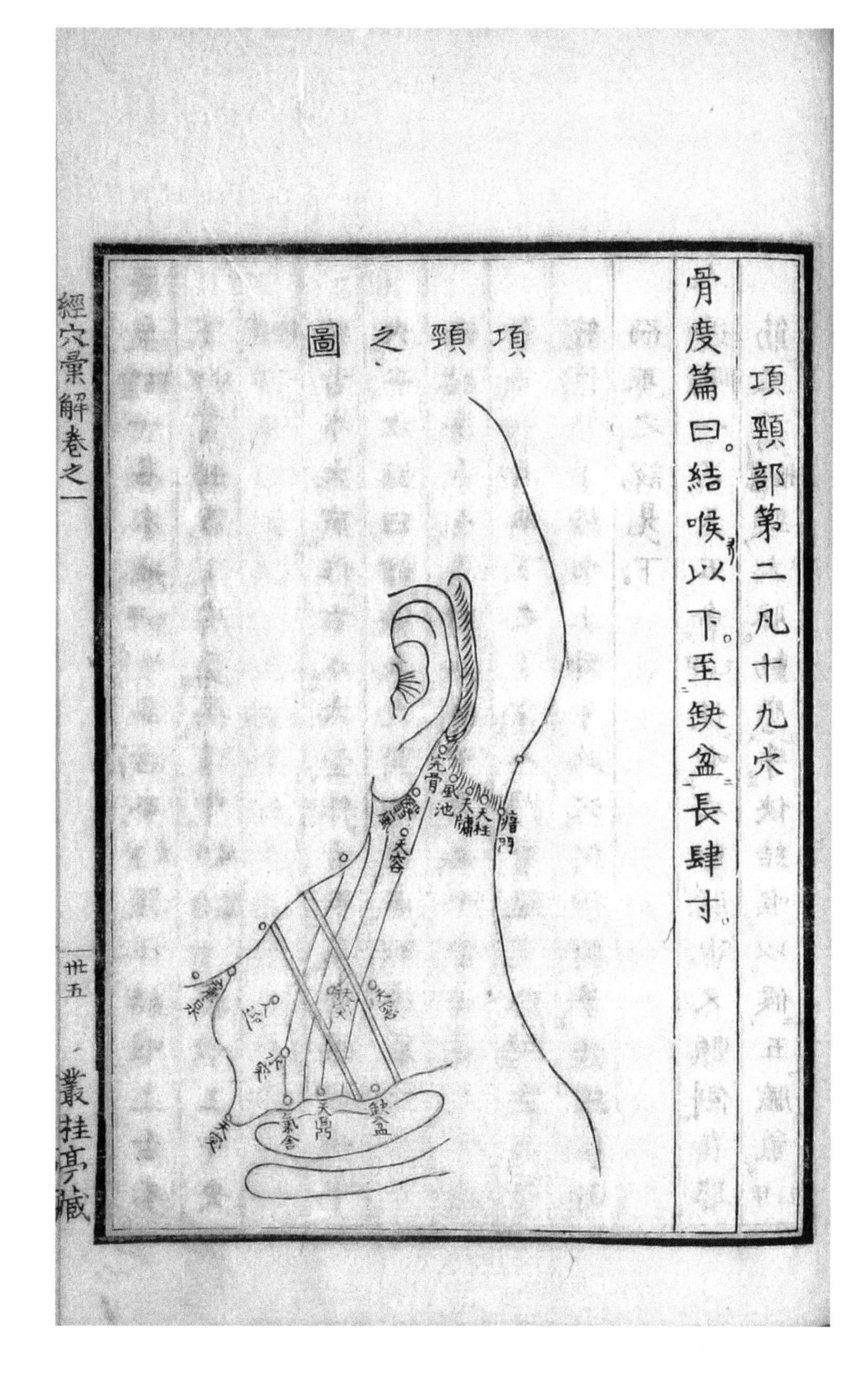

項頸部第二凡十九穴

骨度篇曰。結喉以下。至缺盆長肆寸。

項頸之圖

叢桂亭藏

廉泉靈樞一名本池。甲乙一名舌本。資生頷下結喉上舌本下。甲乙當頤直下骨後陷者中。千金諸風篇結喉上中央。

類經按舌本大成作舌水大全作吉本氣府論曰喉中央二次註曰謂廉泉天突二穴也刺瘧篇曰舌下兩脉廉泉也是謂兩脉中央也千金並翼方聖濟發揮無舌本下之下字入門寶鑑下作間聚英醫統作頷下結喉上肆寸此穴何須折量類經曰仰而取之說見下。

人迎素問一名天五會。甲乙俠喉之動脈也又頸側在嬰筋之前靈樞頸大脉動應手俠結喉以候五臟氣甲乙

不灸。禁深刺。甲乙

按資生。聖濟。聚英。醫統。大全。呉文炳。寶鑑。大成。無天字。千金翼。作大筋脉。次註。發揮。類經。聚英。入門。醫統。大成。金鑑。作結喉側。壹寸伍分。此依甲乙。扶突註。然頸側諸穴。不須分寸。但取筋之前後。此古法也。此穴俠結喉。聖濟曰。仰而取之。不取。

水突甲乙　一名水門。甲乙　頸大筋前。直人迎下。氣舍上。甲乙
人迎下。氣舍上。二穴之中。入門

按突甲乙作天字。誤。類經曰。俠氣舍上。內貼氣喉。
千金註曰。曲頰下壹寸。近後。並非。

氣舍甲乙　頸直人迎下。俠天突陷者中。甲乙　貼骨尖上有

缺（類經）

按類經。作俠天突邊入門。寶鑑作俠傍拘矣。金鑑作結喉下壹寸。非。

扶突（素問）一名水穴。（外臺）嬰筋之後。（靈樞）人迎後壹寸伍分。（甲乙）

按壹寸伍分。說見前與人迎隔一大筋是穴也。千金作氣舍後壹寸半。發揮呉文炳寶鑑聚英從之。大成作氣舍上。並非。千金翼外臺次註作曲頰下壹寸人迎後拘矣。次註曰仰而取之。非。是凡頸側諸穴。仰則筋脉難摸索。故正面而取之。

天鼎（甲乙）一名天頂。（大全）缺盆上。直扶突氣舍後壹寸伍

分側頰門

按天突側皆言缺盆取其形狀故靈樞指天突言缺盆之中者可見焉直扶突絕句言此穴在扶突直下當氣舍後也扶突與人迎隔筋其直下就氣舍後取之次註作半寸蓋寸半之誤資生聖濟以下諸書作扶突後壹寸拘矣千金作頸缺盆直扶突曲頰下壹寸人迎後與扶突註混不可從明堂作天頂蓋音通人以為一名暫從之

天窓 素問 一名窓籠 俠扶突 素問 曲頰下扶突後動脉應手陷者中 頸大筋前 資生

按窓資生作牕籠外臺作聾聚英大全作龍靈樞

云。窓籠、耆耳中也。張介賓曰。卽聽宮。與此不同。入門曰。完骨下髮際、上頸上大筋、處誤也。前大成作間、又奇穴部有天窻、與之不同。

天容 靈樞 耳下曲頰之後。靈樞 頰車後陷中。入門

按甲乙。無下字。千金外臺等皆作耳下。千金翼無曲字。

天牖 素問 頸筋間。缺盆上。天容後。天柱前。完骨後。髮際上 甲乙 禁灸 資生 醫統曰。資生云。穴灸一壯。今本無此文。 禁刺 入門

按完骨後。千金千金翼外臺以下諸書作完骨下。不是。氣府論云。下完骨後。各一。次註曰天牖二穴可以見也。靈樞。任脉側。七次動脉。一次人迎。足陽

明也。二次扶突手陽明也三次天窓手太陽也四次天容足少陽也五次天牖手少陽也六次天柱足太陽也。七次風府督脉也。發揮作天窓後窓容字相似故誤耳千金作髮際上壹寸入門從之就髮際上求之於嬰筋頸筋間乃上兩筋合下髮際也。故不須折量分寸其言壹寸者誤入門作耳下大筋外類經云上俠耳後壹寸亦誤矣明堂云𩩲骨穴下髮際宛宛中𩩲骨穴未詳恐完骨之誤

鈌盆 素問 一名天蓋。甲乙 肩上横骨陷者中。甲乙 禁深刺。甲乙

按天。聚英吳文炳作尺。骨空論云失枕在肩上横

經穴彙解卷之一　卌八　叢桂亭藏

骨間。次註曰。謂缺盆穴也。資生。發揮。聚英。醫統。呉文炳。並作下。非是。入門。寶鑑。作前。馬蒔註證發微。作去中行寸半。非矣。

水户醫官篠本淵　子潛

水户醫官高野龍　子隱

門人　常陽　臼井教美叔韞　同校

水户　大谷彰　伯常

經穴彙解卷之一畢

經穴彙解

卷之二

肩部

背腰部

十武8
491
2

門 ヤ三 9
號 491
卷 2

早稻田大學圖書

經穴彙解卷之二目次

大椎 百勞 陶道

身柱 神道 臟腧

靈臺 至陽

筋縮 中樞

脊中 神宗 脊俞 懸樞

命門 屬累 竹杖 陽關

腰俞 背解 髓空 腰户 髓孔 腰柱 髓府 髓俞

長強 窮骨 氣之陰郄 骶上 骨骶 撅骨 龜尾 尾閭 龍虎穴 曹溪路 氣郄 尾翠骨 三分閭 河車路 朝天巔 上天梯

背第二行自第一推兩傍俠脊各壹寸半下行至骶骨下及八髎凡四十四穴

背第三行自第二椎兩傍俠脊各三寸至二

十一椎下凡二十八穴

附分　魄戸 魂戸

膏肓俞　神堂

譩譆　膈關

魂門　陽綱

意舍　胃倉

肓門　志室 精宫

胞肓　秩邊

以上總計單雙凡一百十二穴

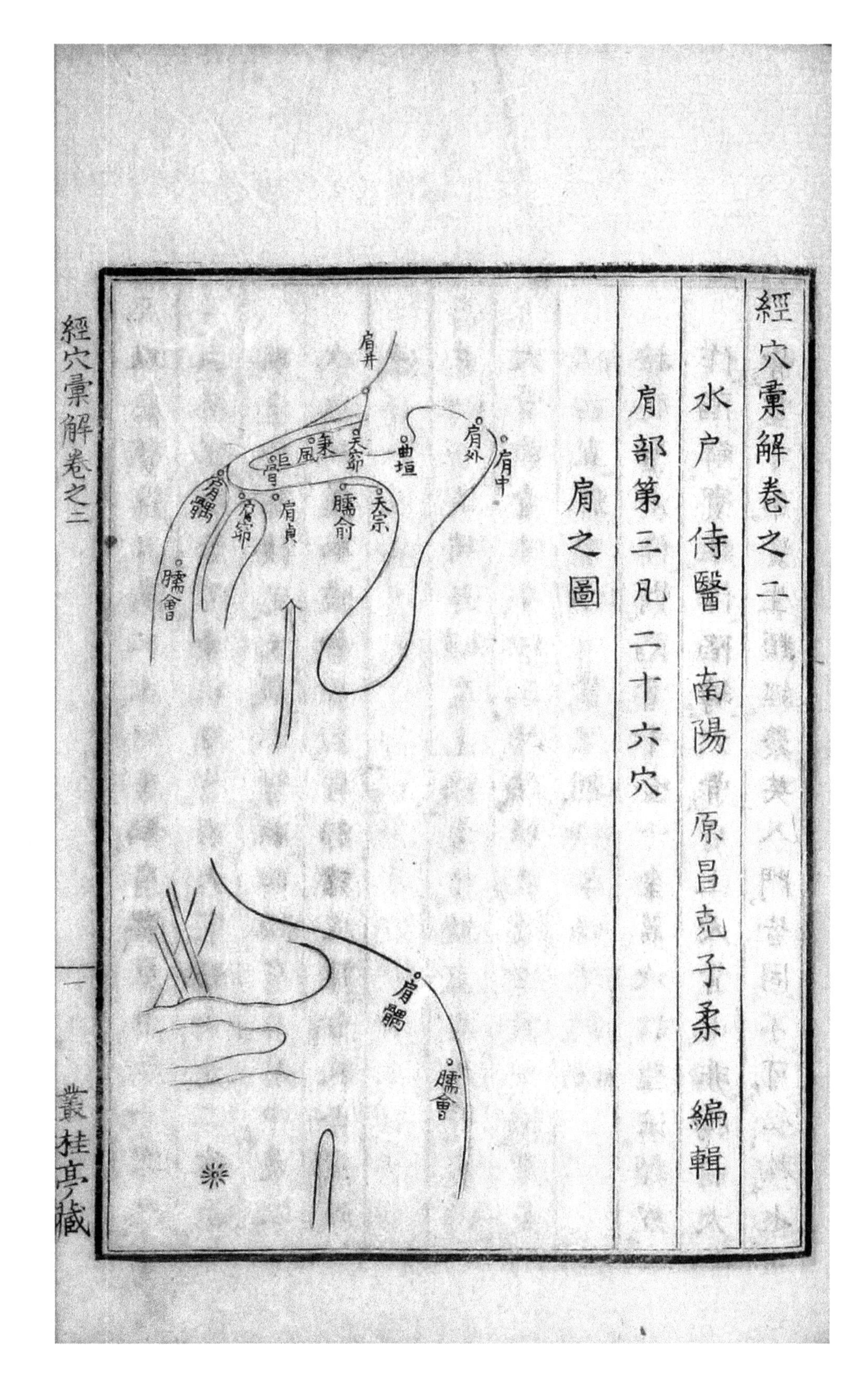

經穴彙解卷之三

水戶侍醫南陽原昌克子柔編輯

肩部第三凡二十六穴

肩之圖

凡取肩部諸穴爲三次，取肩髃、肩髎、肩貞是一次也。上肩端取巨骨、秉風，踰骨取天宗、臑俞是二次也。取肩井，其後定天窌，舉臂取曲垣、肩外、肩中是三次也。而後取臑會、肩貞。肩部諸穴難分，故今定此法。

肩井甲乙一名膊井資生　肩上陷者中，缺盆上，大骨前。甲乙大骨前壹寸半，以三指按取之，當中指下陷者是。聖濟前直乳中。增註　禁深刺。聖濟孕婦禁刺。類經

按：膊，聖濟作髆。陷者，千金、千金翼、次註、聖濟、類經作陷解，寶鑑作陷鎛。大骨，肩上大骨也，非胸前大骨。壹寸半，資生、類經、聚英、入門皆同，不可必拘也。

肘后方曰。兩肩小近頭凹處指捏之安令正得中穴耳。千金曰。卯偏大癩病灸肩井在肩解臂接處龔廷賢萬病回春曰。拿捏一條伸手主捏在地與肩一般高肩上有窩名肩井穴

肩中俞 肩胛內廉去脊貳寸陷者中。

按胛舊作甲千金翼外臺明堂同古字通用今據千金訂之從易讀下皆傚此入門作脾字誤金鑑作髀類經曰。大推傍貳寸金鑑從之拘入門曰大杼傍貳寸非矣。就胛內廉而取之

肩外俞 肩胛上廉去脊參寸。陷者中。

按類經云。與大杼平。似拘。入門作去大杼傍參寸

寶鑑從之並誤。但可就胛上廉而取之。

天窌(甲乙)肩缺盆中毖骨之間陷者中。(甲乙)一曰直肩井後壹寸。(類經)須缺盆陷處上有空起肉上(聚英)誤鍼陷處令人卒死(聚英所引銅人今本無所見)。

按資生作天上髎毖骨千金入門吳文炳大成作上毖骨千金翼外臺聖濟類經作上毖骨次註作上伏骨。張介賓曰。毖音秘。肩髃向肩井缺盆中兩叉骨之際。內間有秘伏之小骨。此毖骨也。作毖誤。

秉風(甲乙)俠天髎在外肩上。小髃骨後舉臂有空。舉臂取之(甲乙)

按天舊作人。刋誤。今訂之。在字衍。外臺在俠字上。

是也。千金。並翼方。作肩上髃後。外臺。聖濟。發揮。作

小髃後。資生。髃作髎字誤。吳文炳。作天髎。髎肩上

小顒后。不可讀。蓋錯置入門曰。天宗。前。疑竄誤。

曲垣甲乙肩中央。曲胛陷者中。按之。動脈應手。甲乙

按動脈應手。千金以下諸書。作應手。痛。外臺作按

之痛應手。央作夬字誤。

天宗甲乙肩解下參寸。素問秉風後。大骨下。陷者中。甲乙

肩貞素問肩曲胛下。兩骨解間。肩髃後。陷者中。甲乙　禁

灸入門

按解。入門。作鋳。通評虛實論云。刺大骨之會各三。

次註曰。大骨之會。肩也。謂肩貞。穴在肩髃後骨解

經穴彙解卷之二　三　叢桂亭藏

問。

巨骨（素問）肩端上行兩叉骨間陷者中。（甲乙）一曰禁刺。

（類經）按明堂。作肩端上兩行骨。兩行二字。倒置。

臑腧（甲乙）肩臑後。大骨下。胛上廉。陷者中。舉臂取之。（甲乙）按氣府論云。曲掖上骨空。各一。次註曰。謂臑腧穴也。臑。大全作脇誤。肩臑次註同。千金並翼方外臺以下諸書。作肩窌。非矣。金鑑云。從肩貞上行肩端臑上。肩骨下。

肩髃（靈樞）一名扁骨（明堂）一名中肩井。一名扁肩。（類經）一名肩尖。（外科樞要）舉臂。肩上陷者。（素問）肩端兩骨間。（甲乙）肩外

頭。近後以手按之有解。宛宛中。金 肩頭正中 同上 髆骨頭。資生

按素問髃骨之會各一次註曰肩髃穴也又曰雲門髃骨次註曰今中誥孔穴圖經無髃骨穴有肩髃。刺熱論新校正曰驗今明堂中誥圖經不載髃骨穴尋其穴以瀉四支之熱恐是肩髃穴醫門摘要曰上有巨骨後有秉風不可混無用之辨哉千金註曰外臺名扁骨

肩窌 甲乙 肩端臑上斜舉臂取之 甲乙 肩端外陷 入門 肩髃後外廉 岡本

按外臺臑上之下有陷中二字斜作針誤入門曰

臑會上。非。臑。發揮。作腨誤。

臑會甲乙一名臑窌。甲乙一名臑交。聚英臂前廉去肩頭參

寸。甲乙宛宛中資生

按肩頭。次註。作肩端。外臺。臂。作肩。

背腰部第四

氣府論曰。大椎以下至尻尾及傍十五穴。至骶下凡貳拾壹節。脊椎法也

骨度篇曰。膂骨以下至尾骶貳拾壹節長參尺上節長壹寸肆分分之壹奇分在下。故上柒節至於膂骨玖寸捌分。分之柒。凡取背部諸穴除脊骨者諸說紛紛。按背腧篇曰胸頭註曰。本作背。中大腧在杼骨端。肺腧在三焦之間。心腧在五焦之間。膈腧在七焦之間。肝腧在九焦之間。脾腧在十一焦之間。腎腧在十四焦之間。皆挾脊相去參寸所。則欲得而驗之。按其處應在中。而痛解乃其腧也。灸之則可

經穴彙解卷之二　五　叢桂亭藏

刺之則不可氣盛則寫之虛則補之以火補者毋
吹其火須自滅也以火寫者疾吹其火傳（甲乙作拊）其
艾須其火滅也甲乙經曰兩旁俠脊各壹寸伍分
按量兩乳間去其半肆寸有奇除兩傍各壹寸伍
分餘分壹寸半有奇是脊骨之分也又素問云譩
譆在背下俠脊傍參寸所厭之令病者呼譩譆譩
譆應手俠字旁字除骨而言也所者許也古人不
必拘分寸以大概示之故云按之應在中而痛解
或云譩譆應手也神應經曰如背俞前賢書中皆
云俠脊各寸半是共折參寸分兩傍取之殊不知
言俠脊其俠字是除骨而言若帶脊骨當以兩傍

各貳寸共折肆寸分兩傍此說雖得折爲肆寸者不是後世又用兩乳捌寸之說度背腰故云去脊中貳寸或壹寸伍分共不可從也張介賓遂驗魚骨就突處而定穴蓋原王叔權里醫之說妄矣凡節字取義於竹節故有骨節關節手指本節等語脊骨突處謂之節經曰節下間則突處下間是穴也且張氏取經文之節下間之語而作異說何矛盾之甚耶凡人之項骨有三名曰柱骨又曰天柱骨即頭莖也連脊共二十四節今人誤以項骨高者爲大椎其幹依肘后方灸大椎在項上大節高起者外臺類經鍼灸大全等以平肩者爲大椎香

川太冲曰。凡大椎以椎大為名。若其骨不大。何得謂大椎乎。故稱一椎為極當。今定以與肩齊為一椎。雖椎小亦可也。大小固非所拘。設令一椎之上。或一椎之下。有椎特大者。則雖在何處。亦可稱大椎。如是或有二十二椎。或有二十椎。而不應二十一椎之數矣。唯是一椎而後次第等下。而以平肩者為大椎。此膠柱之說也。為貴解。香月牛庵巻懐食鏡曰。先師玄益曰。凡定大椎法。令患人端坐正面。動首頸。則項骨共動。取其不動為大椎。甚易知。故據此說。使人頭俯。項骨高起。仰則不見。是項骨第三節也。其下乃大椎也。下第七節八節之間

第十四節十五節之間是俯仰屈折之處也從其
處上行數之定大椎此亦一法也
馬蒔曰大椎乃督脉經穴至腰俞共二十一椎其
曰二十四椎者以項骨三椎不筭也至尾骶穴亦
不筭今人灸大椎者但是項骨高起者見其骨高
而大誤以為大椎而取之愚今除項骨三節則大
椎又數為第一椎此説得之按脊椎二十一節古
來通説亦無異論蓋是皮上隔肌肉摸索而命之
也非剮剥視之數之而言之者陳明善洗冤録曰
項與脊骨各十二節註曰自項至腰共二十四䯝
骨上有一大䯝骨人身項骨五節背骨十九節合

經穴彙解卷之二　七　叢桂亭藏

之得二十有四是項之大髄卽在二十四骨之内此說與今之所見不符。東洋先生臟志曰。脊骨背面有鰭如魚。其節十有七。上細下巨。如筝之狀。此言一出而天下大疑之。今驗之脊骨實十七節也隔皮膚而數之爲二十一節者。併腰髁骨也。其骨此脊骨巨大内拘而爲臀尻。其窮處卽所謂尾骶骨者是也。其骨背有椎節形。凡四。於皮肉上摸之則與脊骨齊。乃與十七節連數爲二十一椎。其椎節形傍。宛陷處有孔。通内面。左右各四。卽八髎也古書曰第一空。第二空者。不誣。洗寃録曰。男女腰間。各有一骨。大如掌。有八孔。作四行様者。是也。此骨。男則圓女則平者所以護子宮受胎之地也今取俞穴則連數之為二十一推處置諸穴而不為誤。發揮註曰。按腰髁即腰監骨人脊椎骨有二十一節。自十六推節而下。為腰監骨挾脊附著之處其十七至二十凡四推為腰監骨所掩附而入髎穴則挾脊第一二空云云也。又按督脈當脊中起於長強在二十一推下等而上之至第十六推下為陽關穴其二十推至十七推皆無穴乃知為腰監骨所掩明矣。此說誤謬不俟辨焉

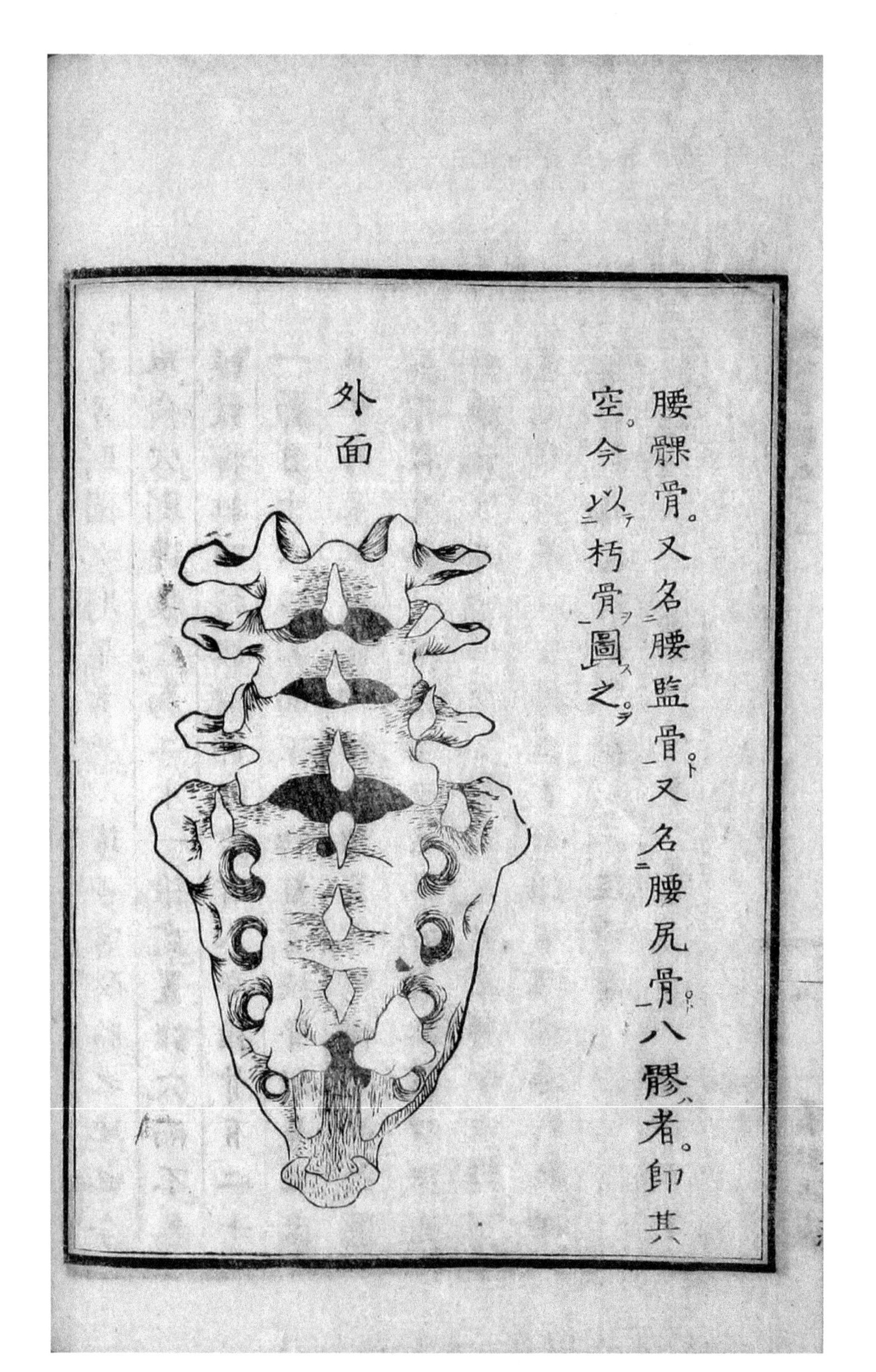

腰髁骨。又名腰監骨。又名腰尻骨。八髎者。即其空。今以朽骨圖之。

外面

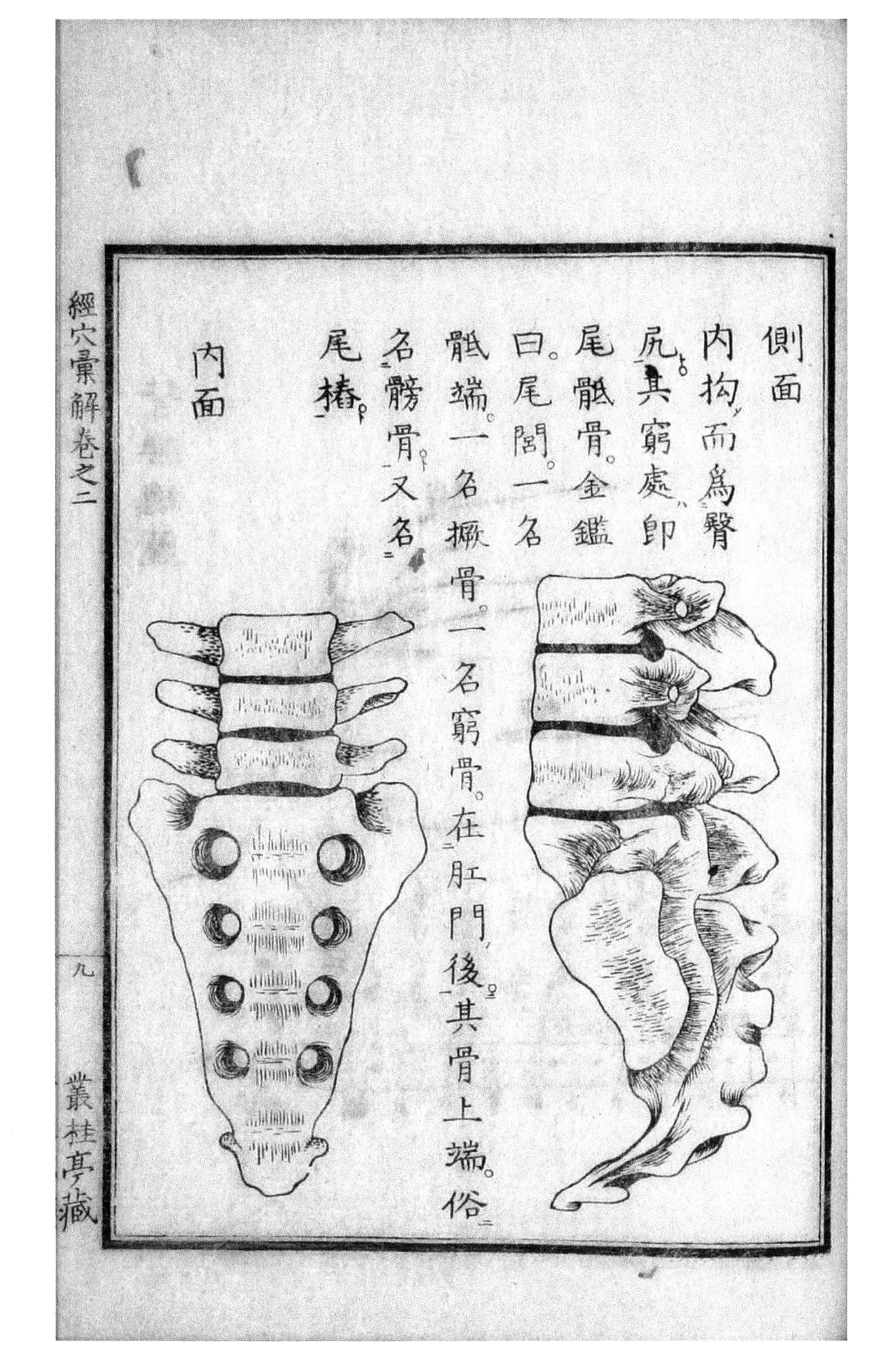
側面
内抅而爲臀
尻其窮處卽
尾骶骨。金鑑
曰。尾閭一名
骶端一名撅骨。一名窮骨。在肛門後其骨上端。俗
名髈骨。又名
尾椿。
内面
經穴彙解卷之二
九
叢桂亭藏

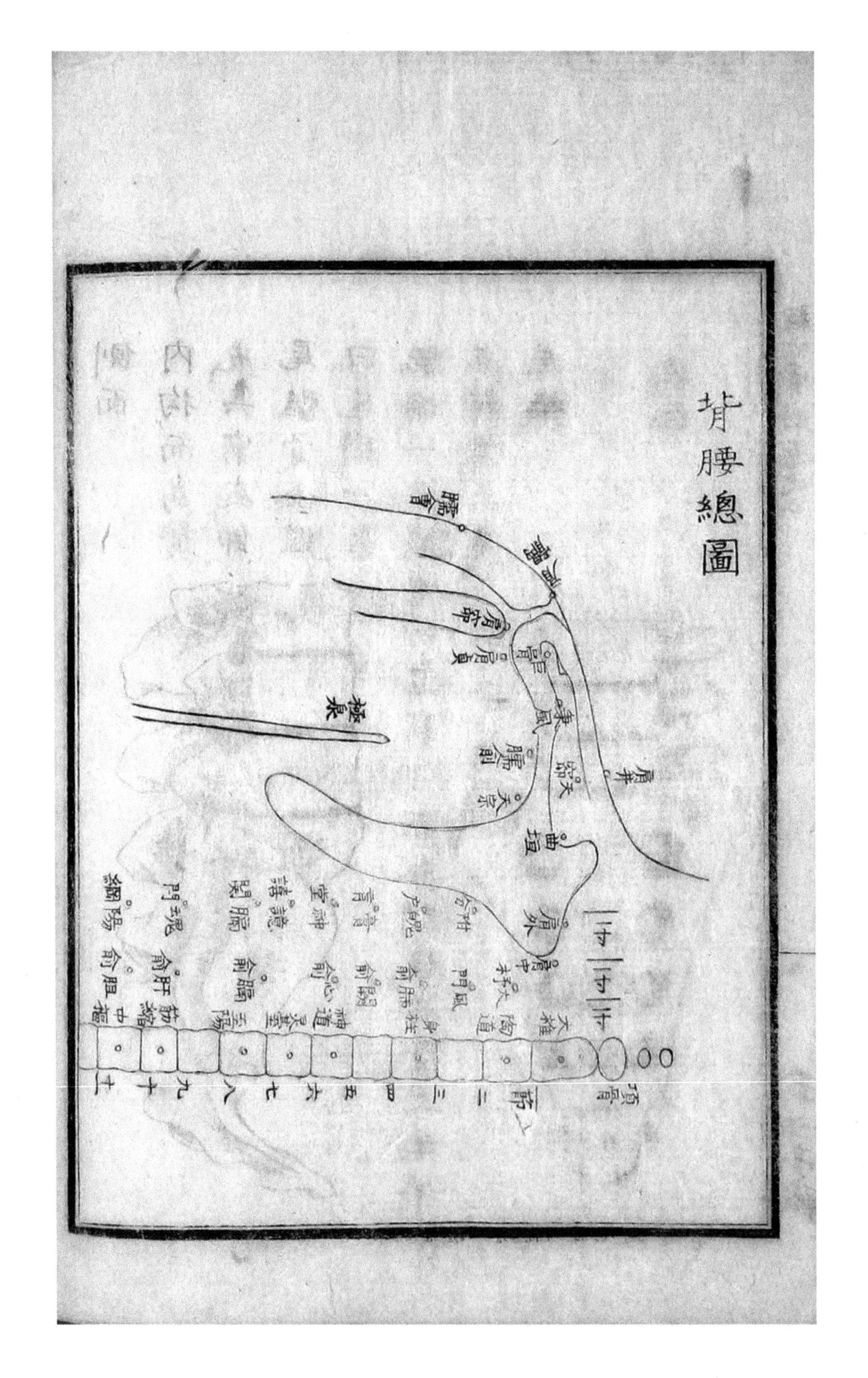
背腰總圖

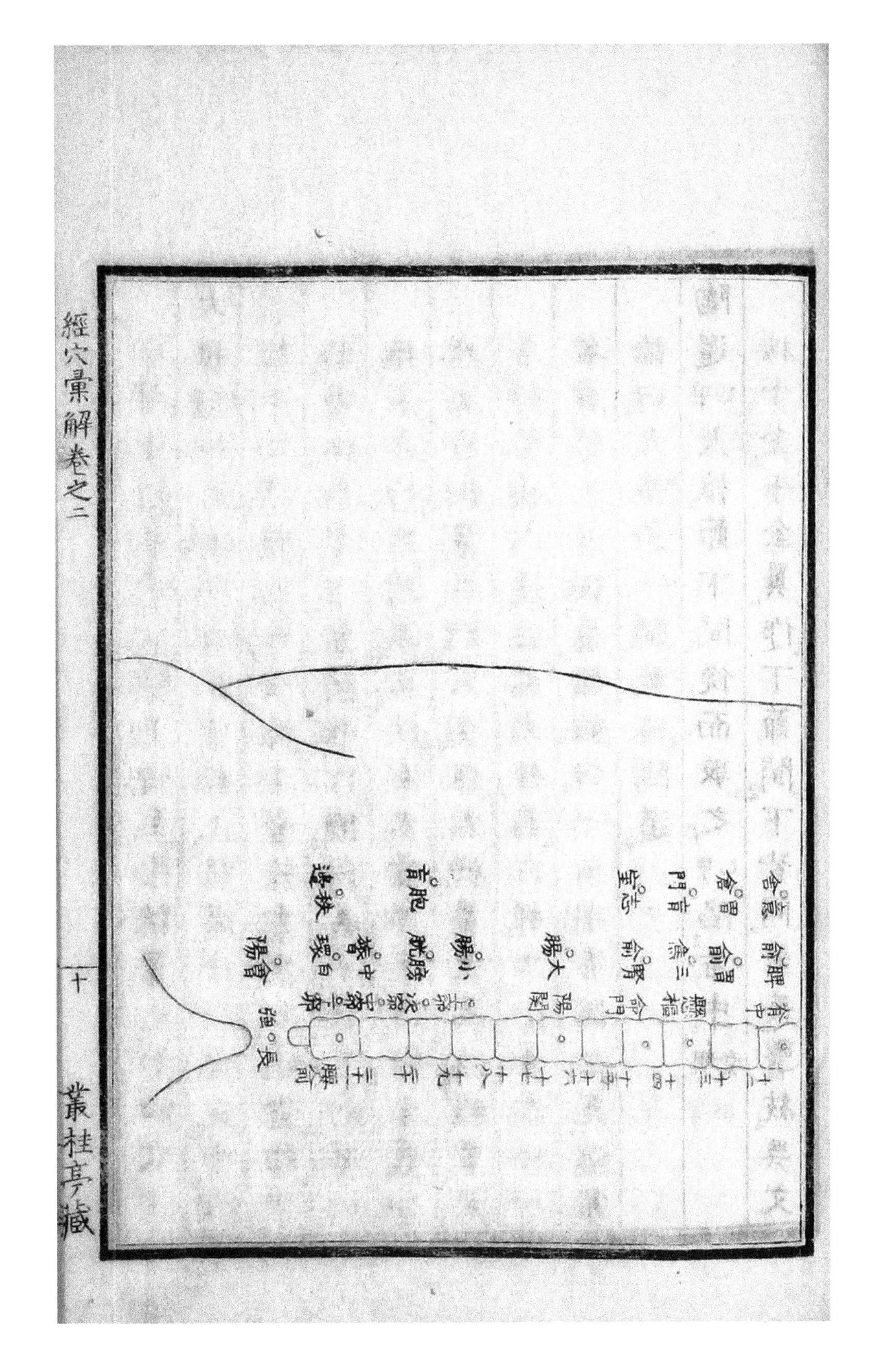
經穴彙解卷之二
十
叢桂亭藏
脊中
脾俞
意舍
懸樞
胃俞
胃倉
三焦俞
肓門
命門
腎俞
志室
陽關
大腸俞
小腸俞
上髎
次髎
膀胱俞
胞肓
中髎
中膂俞
秩邊
下髎
白環俞
會陽
長強
腰俞
十二
十三
十四
十五
十六
十七
十八
十九
二十
二十一

背中行自第一椎下行至尾骶骨凡十四穴

大椎素問一名百勞類經第壹椎上陷者中甲乙宛宛中資生

按甲乙經脫上字今據千金諸書補之明堂作下

非靈樞本事方聖濟椎作顀同義千金翼曰第一

椎名大杼無所不主俠左右壹寸半或壹寸貳分

此文有倒置入門大全作大杼蓋受其誤椎骨又

名杼骨後人遂混稱大椎為大杼大全等大杼一

名百勞不可從焉類經曰一云平肩說已見傷寒

論曰大椎第一間蓋指陶道

陶道甲乙大椎節下間俛而取之甲乙陷者中明堂

按千金千金翼作下節間下皆同聚英醫統吳文

炳等。無節字。非。千金諸風篇與甲乙同。

身柱。甲乙第三椎節下間。俛而取之。甲乙宛宛中。明堂

按和名塵氣以治塵氣之名之。梶原性全頓醫抄曰。

塵氣發於肺臟是也。村上良元慈幼啓𠮷載其候

有四。紅知利氣。知利知利氣。波美知利氣。黃知利

氣。醫門摘要曰。和俗謂之塵氣。預灸則不生諸病

病氣積於此而傷其身。猶塵氣積柱下生濕氣而

破家宅。故即名此穴謂之塵氣。釋西忍所著方書。訓瘧為知利氣。

神道。甲乙一名臟腧。千金第伍椎節下間。俛而取之。甲乙

禁刺。入門類經一說。

按千金曰。治卒病惡風欲死及肉痺不知人灸第

伍椎。名曰臟腧。百五十壯。多至三百壯。便愈。異方。

内痱下。有乳癰二字。

靈臺次註第陸椎節下間。俛而取之。次註禁刺。入門

按刺熱篇云。陸椎下間。主脾熱。是謂靈臺穴。然其名。甲乙千金外臺。併不載。資生以下。皆載之。程行道外臺註。引聖濟總録。且云。後人論註所增穴也。

按甲乙所載十一穴。素問云。督脉氣所發者。二十八穴。項中央二。次註曰。謂風府瘂門二穴。髮際後中八。次註曰。謂神庭上星顖會前頂百會後頂強間腦戶八穴。面中三。次註曰。謂素窌水溝齗交三穴。大椎以下至尻尾及傍十五穴。次註以會陽而解及傍二字。然會陽是雙穴也。加之為十六穴。其數不合

經文。蓋亣亓穴也。否則督脈氣所發者。二十八穴。者。二十九穴之誤。而十五穴則十六穴之誤歟。

至陽甲乙第柒椎節下間。俛而取之。甲乙宛宛中明堂

按刺熱篇云。柒椎下間。主腎熱。明堂。作微俛而取之。

筋縮甲乙第玖椎節下間。俛而取之。甲乙

按入門。作筋束。字誤。

中樞次註第拾椎節下間。俛而取之。次註

按類經曰。此穴諸書皆失之。惟氣府論督脈下。王氏註中。有此穴。及考之氣穴論。曰背與心相控而痛。所治天突。與拾椎者。其穴即此。按氣穴論曰。天

突與拾推及上紀。次註曰。按甲乙經。經脉流注孔穴圖經。當脊拾椎下。並無穴目。恐是七椎。又註氣府論曰。中樞在第十椎節下間。何其說矛盾乎。與彼背俞註同。王氷疎鹵。不足深責也。馬蒔曰。十椎下無穴。當是大椎。亦遺有中樞。金鑑載此穴

脊中（甲乙）一名神宗。（資生）一名脊俞。（資生。明堂。）引第拾壹椎節下間。俛而取之。（甲乙）　禁灸。（甲乙）禁刺（入門）

按骨空論曰。灸脊中。說見陽關大全中作柱。

懸樞（甲乙）第拾參椎節下間。伏而取之。（甲乙）

按資生曰。銅人云。懸樞在拾參椎節下間。明堂上經作拾貳椎節間。下經作拾壹椎下。脊中穴。既在

拾壹椎下。不應懸樞又在拾壹椎下。固知其誤矣。考之素問。亦與銅人同。當以銅人為正。明堂上經亦誤參字作貳字也。要之接脊穴在拾貳椎節下。爾。接脊穴。載奇穴部。

命門甲乙一名屬累甲乙一名竹杖俗名第拾肆椎節下間。伏而取之。甲乙

按千金曰。胞落頽。灸背脊當臍。不稱穴名。類經曰。平臍用線牽而取之。恐有差。故不取。又曰千金云腰痛不得動者。令病千金作患人正立。以竹杖千金無杖字。拄地度至臍。千金有斷竹二字。乃取杖。取杖千金作以度。度背脊。灸杖。杖千金作竹上二字。頭盡。盡千金無盡字。處此法。舊出于肘后

方而文有異同。今閲千金方無竹杖字。類經所引證者。千金翼之文。而脊俞之說也。詳于脊俞條。俗呼為竹杖穴者。蓋興于類經。洗寃録曰。凡命門骨。最屬虛怯。以手擊之。即可立斃。因命門骨左右兩穴有紅筋若細絲。通於兩內腎。拍斷即死。外無痕跡。若有稱拍著命門處身死。只檢驗命門骨紫赤者是也。命門骨自尾蛆骨倒數上第七髗。兩傍各有一小穴者是。

陽關次註第拾陸椎節下間。坐而取之。次註

按甲乙。千金。外臺不載。資生。作伏而取之。素問曰。失枕。在肩上橫骨間。折使榆臂齊肘正。灸脊中。次註曰揄。讀為搖。搖謂搖動也。然失枕非獨取肩上橫骨間。乃當正形灸脊中也。欲而驗之則使搖動其臂屈折其肘。自項之下橫齊肘端。當其中間則其處也。是曰陽關。在第拾陸椎節下間。督脈氣所發。按揄是揄誤。

腰俞甲乙一名背解。一名髓空。一名腰户。甲乙一名髓孔。一名腰柱。外臺一名髓俞。大全一名髓府。大成第貳拾壹椎。節下間。甲乙宛宛中。以挺腹地。舒身兩手相重支額。縱四體後乃取其穴。資生

按神應經。作自大椎至此折參尺。舒身以腹挺地。聚英作挺身伏地。舒身。素問直解。髓空。爲肩井者。

誤。俞扁鵲傳。作輸。無異義。

長強靈樞一名窮骨。一名骶上。一名骨骶。靈樞一名氣之陰郄。甲乙一名龜尾。肘后一名尾翠骨。千翼一名龍虎穴。一名曹溪路。一名三分閭。一名河車路。一名朝天巔。一名上天梯。衛生寶鑑一名撅骨。類經一名尾閭。醫統一名氣郄。大成尻骨下空。素問脊骶端。甲乙趺地取之。資生骶骨端許參分。聚英陷者中。明堂

按癲狂篇云。灸窮骨二十壯。窮骨。骶骨也。馬蒔曰。長強也。又云。灸骨骶二十壯。又刺骶上。張註曰。長強也。今移入一名骨空論云。脊骨下空。在尻骨下空。次註曰。不應主療經闕其名。新校正云。按長強

在脊骶端。正在尻骨下。王氏得非誤乎。又曰。灸撅骨。次註曰。尾窮謂之撅。撅當作⿰月厥。字典曰。⿰月厥本作⿰骨厥。音厥。說文曰。臀骨也。明堂脊骶作脊骸。誤。尾翠骨上參寸。骨陷間。不合諸說。聚英大成趺作伏。是也。

背第二行自第一椎兩傍俠脊各壹寸半。下行
至骶骨下。及八髎。凡四十四穴

按内經曰。大椎上兩傍各一。凡二穴。王氷曰未詳
何俞。新校正曰。按大椎上傍無穴。張介賓曰今於
大椎上傍按之甚痠。當有穴。意者甲乙經等。猶有
未盡。呉昆曰。當是天柱二穴。在俠項後髮際大筋
外廉陷中者。馬蒔曰。大椎乃督脉經穴。至腰俞共
二十一椎。其曰二十四椎者。以項骨三椎。不筭也
至尾骶穴亦不筭。今人灸大椎者。俱是項骨高起
者。見其骨高而大。誤以為大椎而取之。愚今除項
骨三節。則大椎又數為第一椎。其兩傍。即大杼穴。

乃足太陽膀胱經穴名也。新校正。以爲大椎傍無穴。意者。亦若今人以項之高骨爲大椎耳。此說不是。以王張爲穩當。千金曰。治百種風。灸腦後大椎平處兩廂量貳寸參分。須取病人指寸量兩廂各灸百壯。得瘥。是不說穴名。蓋大椎上兩傍也。分寸稍異。

大杼 素問 項第壹椎下兩傍。各壹寸伍分。陷者中。甲乙 正坐而取之。類經 禁灸 資生

按類經。金鑑。每穴作去脊中貳寸。說既見。千金類經。作項後入門。作第壹節外。下諸穴皆作幾節外。王氷註氣府論。刺瘧篇。以背俞爲大杼穴。又註水

熱穴論爲風門熱府又註刺熱論爲未詳又註舉
痛論爲心俞今讀者茫然刺熱論新校正曰王註
水熱穴論以風門熱府爲背俞又註氣穴論以大
杼爲背俞此註云未詳蓋疑之素問直解曰背俞
指肺俞非也骨空論曰視背俞陷者灸之是似汎
指背部俞穴與形志篇曰欲知背俞云云同水熱
穴論曰大杼膺俞缺盆背俞此八者以寫胸中之
熱也由是觀之爲大杼者益非也背俞必有所指
舉痛論曰寒氣客於背俞之脉則血脉泣脉泣則
血虛血虛則痛其俞注於心其爲心俞者爲有所
據千金翼曰第壹椎名大杼無所不主俠左右壹

寸半或貳寸貳分。蓋斯文錯置。大全曰。大杼一名百勞。說見大椎下。難經云。骨會大杼。似指大椎。

風門熱府。甲乙第貳椎下兩傍。各壹寸伍分。甲乙陷者中。明堂正坐取之。大成

按千金。外臺。以下諸書。皆分熱府以為一名。只千金翼同甲乙。今從古說。

肺俞素問參焦之間。素問第參椎下兩傍各壹寸伍分。甲乙

按氣穴論云。中胎兩傍各五。凡十穴。次註曰。謂五臟之背俞也。千金曰。對乳引繩度之。此捷法也。資生曰。甄權鍼經云。以搭手。左取右。右取左。當中指末。是穴。今試度之。共不當其穴。不可從。神應經。肺

兪。膈兪。肝兪。腎兪。共作貳寸。說已見。

闕兪千金一名厥陰兪。千金第肆椎下兩傍。各壹寸伍分。千金正坐取之。類經

按此穴千金肺臟篇。引扁鵲。

心兪素問一名背兪。次註伍焦之間。素問第伍椎下兩傍。各壹寸伍分。甲乙陷者中。明堂正坐取之。類經禁灸甲乙禁刺。入門

按千金諸風篇。一云第柒節。對心橫三。間寸。非也。又治不能食。胸中滿。膈上逆氣。悶熱。灸心兪二七壯。小兒減之。千金翼曰。心煩短氣。灸心兪百壯。鍼入三分。

膈俞素問柒焦之間。素問第柒椎下兩傍。各壹寸伍分。甲乙陷者中。明堂正坐取之。類經

按難經曰。血會膈俞。

肝俞素問玖焦之間。素問第玖椎下兩傍。各壹寸伍分。甲乙陷者中。明堂正坐取之。類經

按千金一云。玖椎節脊中非矣。形志篇云。欲知背俞先度其兩乳間中折之更以他草度去半已。即以兩隅相拄也。乃舉以度其背。令其一隅居上齊脊大椎兩隅在下當其下隅者。肺之俞也。復下一度左角肝之俞也。右角脾之俞也。復下一度腎之俞也。是謂五臟之俞。灸刺之度也。肝脾二俞。果是

異說。可見素問者各家之說而不出一人之手也。

膽俞（脈經）第拾椎下兩傍各壹寸伍分。正坐取之。（甲乙）陷者中。（明堂）

按氣府論云。六府之俞各六。痺論云。六府亦各有俞。金鑑作第玖椎下。而無肝俞。蓋脫簡

脾俞（素問）拾壹焦之間。（素問）第拾壹椎下兩傍各壹寸伍分。（甲乙）陷者中。（明堂）

按。千金賊風篇曰。凡人脾俞無定所隨四季月應病即灸臟俞是脾穴。當時蓋有此說而行殆墮穿鑿。

胃俞（脈經）第拾貳椎下兩傍各壹寸伍分。（甲乙）宛宛中。（明堂）

正坐取之。類經

三焦俞 甲乙 第拾參椎下兩傍。各壹寸伍分 甲乙 正坐取之陷者中。明堂

腎俞 素問 一名高蓋。大成 第拾肆椎下兩傍。各壹寸伍分。甲乙 陷者中。明堂 正坐取之。類經

按通評虛實論云少陰俞去脊椎參寸傍。次註曰。謂足少陰腎俞也。千金翼曰對臍當脊兩邊相去壹寸伍分。名腎俞本事方曰。與臍平。此捷法也千金翼又曰。腎俞主五臟虛勞少腹弦急脹熱灸五十壯老小損之。若虛冷可至百壯。橫三間寸灸之。腰痛不得動者。令病人正立以竹杖柱地度至臍

「取杖。度背脊灸。杖頭隨年壯。良灸訖。藏竹杖。勿令人得之。大夫痔下血。脱肛。不食。長洩痢。婦人崩中去血。帶下淋露。去赤白雜汁。皆灸之。此俠兩傍各壹寸。橫三間寸灸之。又諸書載杖子至臍中截斷。却回杖于背上。當脊骨中。杖盡處。即是拾肆椎。命門穴也。用稈心取同身寸參寸。摺作壹寸伍分。兩頭是腎俞穴也。皆不取。

大腸俞脈經第拾陸椎下兩傍。各壹寸伍分。甲乙伏而取之。類經

按脈經曰。在第拾陸椎。闕其詳。

小腸俞脈經第拾捌椎下兩傍。各壹寸伍分。甲乙伏而取

之。類經

按難經本義云。謝氏曰。在拾陸椎下兩傍。各壹寸伍分。非也。

膀胱俞脉經第拾玖椎下兩傍。各壹寸伍分。甲乙陷者中。明堂伏而取之。類經

中膂俞甲乙一名脊內俞資生第貳拾椎下兩傍。各壹寸伍分。俠脊胛而起。甲乙伏而取之。類經

按膂。次註。作䐐。外臺。以下諸書。皆作中膂內俞。或以為一名。甲乙。千金。千金翼。並無內字。入門。金鑑。從之。此編凡徵古典。故不補內字。脊胛而起。外臺作脊起肉。次註。作脊䐐胂起肉。胛當作胂。胛是肩

甲也不與此穴關涉蓋傳寫之誤膂音呂與膐通
膂謂脊側肉也胂肋也胂謂之脢脢背側之肉也
起者言背側肉逼膂肉復起者也人或疑起下脫
肉字不審古義也聚英作脊伸字誤
白環俞甲乙第貳拾壹推下兩傍各壹寸伍分伏而取
之甲乙挺腹地端身兩手相重支額縱息令皮膚俱
緩乃取其穴資生　禁灸甲乙類經醫統灸三壯　禁鍼灸入門
上窌甲乙第壹空腰髁下壹寸俠脊陷者中甲乙
按類經曰腰髁骨即拾陸推下腰脊兩傍起骨之
俠脊者次註曰餘三髎少斜下按之陷中是也入
門曰上髎下俠類經曰拾陸推者不是音拾柒推

次窌甲乙第貳空俠脊陷者中甲乙

中窌甲乙一名中空大成第參空俠脊陷者中甲乙

下窌甲乙第肆空俠脊陷者中甲乙

按以上四穴謂之八髎素問曰八髎在腰尻分間是也又曰尻骨空在髀骨之後相去肆寸次註曰是謂八髎穴也今按髀當作髁千金曰大小便不利灸八髎穴在腰目下參寸俠脊相去肆寸兩邊各四穴計八穴故名八窌甲乙以八窌非脊中屬二行又言俠脊而自明不繫二行者蓋便覽者此穴驗枯骨則其空自明

會陽甲乙一名利機甲乙陰尾骨兩傍甲乙骨外各開壹寸

半入門

按陽入門作陰誤也機外臺作扒陰尾舊作陰毛傳寫之誤據千金外臺而訂之發揮作尾髎骨髎是骶之誤金鑑作陰尾尻骨兩傍伍分許

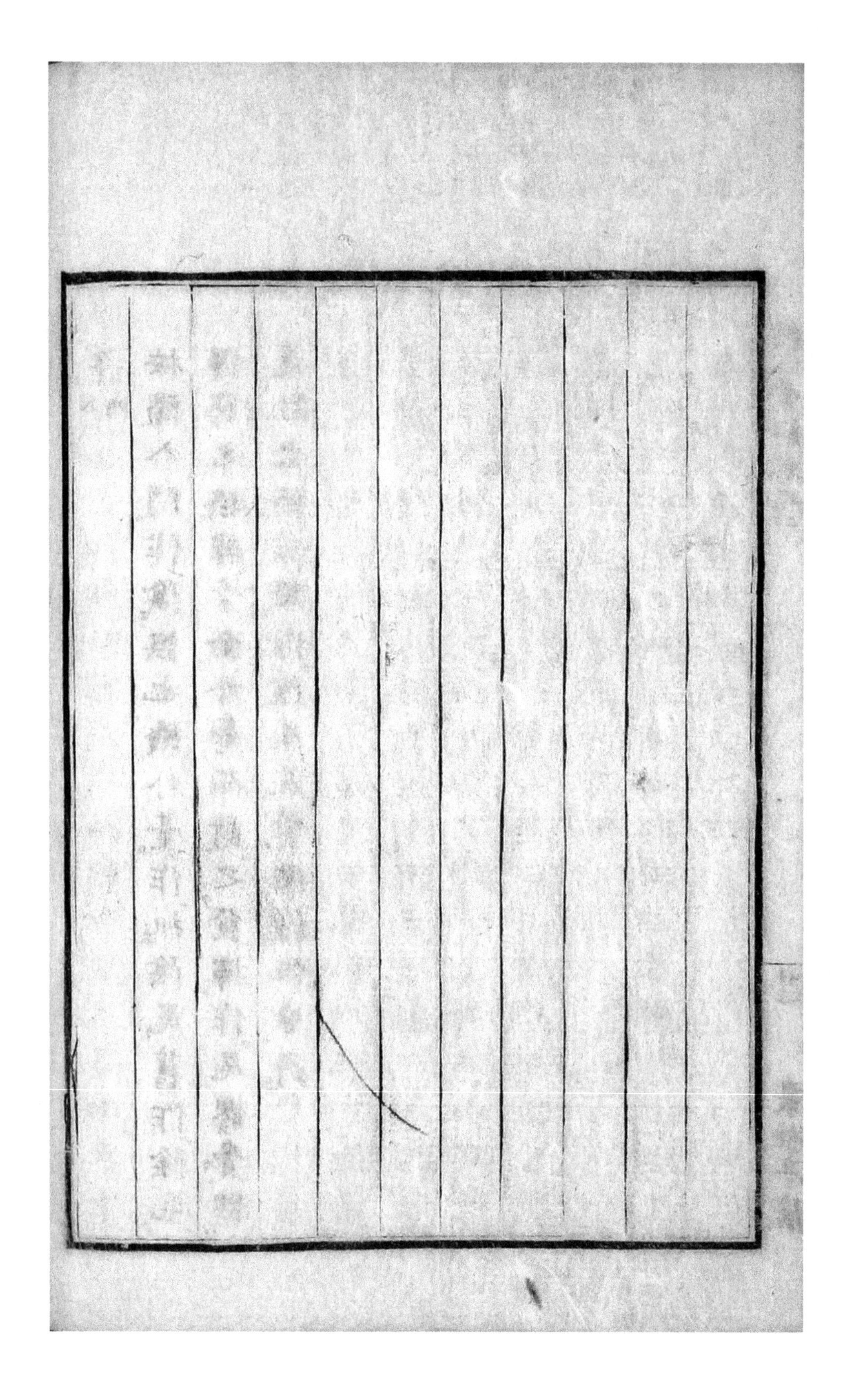

背第三行自第二椎兩傍俠脊各參寸至貳拾壹椎下凡二十八穴。

附分（甲乙）第貳椎下附項內廉兩傍各參寸（甲乙）陷中（入門）正坐取之（類經）

按氣府論云俠脊以下至尻尾二十一節十五間各一。次註曰今中誥孔穴圖經所存者十三穴左右共二十六。謂附分魄戶神堂譩譆膈關魂門陽綱意舍胃倉肓門志室胞肓秩邊十三也類經金鑑作參寸半下皆同。

魄戶（甲乙）一名魂戶（寶鑑）第參椎下兩傍各參寸（甲乙）正坐取之上直附分（次註）宛宛中（明堂）

按水熱穴論云五臟俞傍五此十者以寫五臟之熱也次註曰俞傍五者謂魄戶神堂魂門意舍志室五穴

膏肓俞千金第肆椎下兩傍各參寸資生令人正坐曲脊伸兩手以臂著膝前令正直手大指與膝頭齊以物支肘勿令臂得動搖從胛骨上角摸索至胛骨下頭其間當有四肋三間灸中間依胛骨之裏肋間空去胛骨容側指許摩胎肉之表肋間空處按之自覺牽引胸戶中外臺作於肩中灸兩胛中各一處若病人已困不能正坐當令側臥挽上臂令前求取穴灸之也求穴大較以右手從右千翼作左肩肩上拄

指頭表所不及者是也左手亦然乃以前法灸之若不能久正坐當伸兩臂者亦可伏衣襆上伸兩臂令人挽兩胛骨使相離不爾胛骨覆穴不可得也其穴逆第伍椎相準望取之千金

按千金翼外臺胛作甲古字通用神應經作第伍椎下兩傍各参寸半大全作四柱下参分並非大成曰人年二旬後方可灸此二穴又按此穴古書不載千金始有此名蓋原左傳醫緩之語杜預曰心上膈下不可屬肩背也腹中論曰肓之原出於臍下九鍼十二原篇曰膏之原出於鳩尾肓之原出於脖胦膏肓之字既見于此而脖胦者氣海也

謝士泰删繁方。説其病形。全依左傳。而爲説者也。以非經穴之事。故不録于此。千金及翼方。係奇穴。不屬大陽經。今時人間習熟。以肺俞呼狹肓呼膏肓為廣肓故今舉于此云。

神堂甲乙第五椎下兩傍。各參寸。陷者中。甲乙正坐取之。

明堂

按次註曰。上直魄户。甲乙無膏肓穴。素問曰。俠脊以下至尻尾二十一節十五間各一。次註曰。今中誥孔穴圖經。所存者。十三穴。王亦不記膏肓故不言上直膏肓。而言直魄户。張介賓。以大杼列于此行曰。近世有膏肓一穴。亦合十五穴。然此穴自晋

以前所未言而原數則左右共二十八穴也非矣
今加膏肓爲十四穴不可考者一穴也
譩譆素問背下俠脊傍參寸所厭之令病者呼譩譆譩
譆應手素問肩髆內廉俠第陸椎下兩傍各參寸甲乙
上直神堂次註陷者中明堂正坐取之資生
按刺瘧篇曰五胠俞各一適肥瘦出其血也王冰
曰五胠俞謂譩譆類昆以爲䰟戶神堂譩譆膈關
䰟門之五穴張介賓曰胠脇也一曰旁開也水熱
穴論云五臟俞傍各五以寫五臟之熱即此謂也
蓋此五者乃五臟俞傍之穴以其傍開近脇故曰
傍五胠俞即䰟戶神堂䰟門意舍志室也應手入

經穴彙解卷之三　廿五　叢桂亭藏

門作指下動原骨空論註也

膈關甲乙第柒椎下兩傍各參寸陷者中正坐開肩取之甲乙上直譩譆次註

按膈次註聚英醫統作鬲外臺發揮開作瀾

魂門甲乙第玖椎下兩傍各參寸陷者中正坐取之甲乙上直鬲關次註

按千金註及聚英呉文炳大成引外臺云作魂門拾椎下陽綱拾壹椎下意舍玖椎下今本與甲乙同大全作膈關七拄八魂門非也

陽綱甲乙第拾椎下兩傍各參寸陷者中正坐取之甲乙上直魂門次註

按綱明堂。作剛入門作剛。正字通剛剛字之譌。資生聚英醫統曰。闊肩取之。明堂曰微俯而取之。似無謂。

意舍甲乙第拾壹椎下兩傍。各參寸。陷者中。甲乙正坐取之。上直陽綱。次註

按明堂作第玖椎下。闊肩取之。非矣。

胃倉甲乙第拾貳椎下兩傍。各參寸。陷者中。甲乙上直意舍。次註正坐取之。類經

按金鑑作拾椎。脫貳之字。

肓門甲乙第拾參椎下兩傍。各參寸。入肋間。甲乙上直胃倉。次註陷中。類經

經穴彙解卷之二　廿六　叢桂亭藏

按肓金鑑作育誤入門載痞根穴蓋指此穴詳于奇穴部資生曰經云與鳩尾相直未詳為何經千金並翼方次註無入肋字外臺以下諸書作又肋甲乙本作入肘肓門不可入肘又無又肋甲乙肘字肋之誤諸書又字入之誤故改作入肋

志室甲乙一名精宮大成第拾肆椎下兩傍各參寸陷者中正坐取之甲乙上直肓門次註

按室入門作堂誤明堂作參寸半微俛而取之非

胞肓甲乙第拾玖椎下兩傍各參寸陷者中伏而取之甲乙上直志室次註

秩邊甲乙第貳拾壹椎下兩傍各參寸陷者中伏而取

之乙甲上直胞肓次註

按資生發揮入門聚英大全醫統吳文炳寶鑑外臺程敬通註一説大成並作貳拾椎下

經穴彙解卷之二　廿七　叢桂亭藏

經穴彙解卷之二 畢

門人

水户醫官秋山盛 德卿

下野 本田恭 子讓

下舘 大島員 子輻

水户 木内政章伯斐

同校

經穴彙解
卷之三
胸部
腹部
側脇部

經穴彙解卷之三目次

胸部第五胸腹圖

胸中行自天突下行至中庭凡七穴

天突 玉户 天瞿　璇璣

華蓋　紫宮

玉堂 玉英　膻中 元見 上氣海 元見

中庭

胸第二行自俞府俠璇璣兩傍各貳寸下行

至步廊凡十二穴

俞府 輸府　彧中

神藏　靈墟

神封　步廊

胸第三行自氣户俠俞府兩傍各貳寸下行至乳根凡十二穴

氣户　庫房

屋翳　膺窓

乳中　乳根 薜息

胸第四行自雲門俠氣户兩傍各貳寸下行至食竇凡十二穴

雲門　中府 膺中俞 肺募 府中俞

周榮　胸鄉

天谿　食竇

腹部第六

腹中行自鳩尾下行至會陰凡十五穴

鳩尾（尾翳　神府　髑骭　骬骬）　巨闕（心募）

上脘（胃脘　上管　上紀　胃管）　中脘（大倉　胃募）

建里　下脘（幽門）

水分（分水　中守）　神闕（臍中　氣舍）

陰交（少關　橫户　丹田）　氣海（脖胦　丹田　下肓）

石門（利機　丹田　三焦募　命門　精露）

關元（次門　大中極　下紀　丹田　小腸募）

中極（氣原　膀胱募　玉泉）　曲骨（尿胞　屈骨　屈骨端）

會陰（屏翳　金門　下極　平翳）

腹第二行自幽門俠巨闕兩傍各半寸下行
至橫骨凡二十二穴
幽門上門　通谷
陰都食宮通關　石關石闕
商曲高曲　肓俞
中注　四滿髓府
氣穴胞門子戶　大赫陰關陰維
橫骨下極屈骨
腹第三行自不容俠幽門兩傍各壹寸半下
行至氣衝及急脉凡二十六穴十五穴
不容　承滿

梁門　關門

太乙　滑肉門

天樞長谿 谷門 循際 長谷 大腸募

外陵　大巨腋門

水道　歸來谿穴

氣衝氣街　急脉

腹第四行自期門上直兩乳俠不容兩傍各壹寸半下行至衝門凡十四穴

期門肝募　日月神光 膽募

腹哀　大横腎氣

腹屈腸窟 腸結 腹結 陽窟　府舍

衝門（慈宫　上慈宫）

側脇部第七凡二十穴並圖

淵腋（腋門）　輒筋

大包　天池（天會）

章門（長平　脇髎）　脾募（肋髎）

京門（氣俞　氣府）　腎募　帶脉

五樞　維道（外樞）

居髎

以上總計單雙凡一百三十七穴

經穴彙解卷之三

水戸　侍醫　南陽　原昌克子柔　編輯

胸部第五

骨度篇曰。胸圍肆尺伍寸。腰圍肆尺貳寸。結喉以下至缺盆中長肆寸。缺盆以下至髃骬長玖寸。過則肺大。不滿則肺小。髃骬以下至天樞長捌寸。過則胃大。不及則胃小。天樞以下至横骨長陸寸半。過則廻腸廣大。不滿則狹短。横骨長陸寸半〇兩乳之間。廣玖寸半。

按髃骬胸前歧骨際也。缺盆中天突也。天樞謂臍心。臍心不易見。故以傍穴而言。

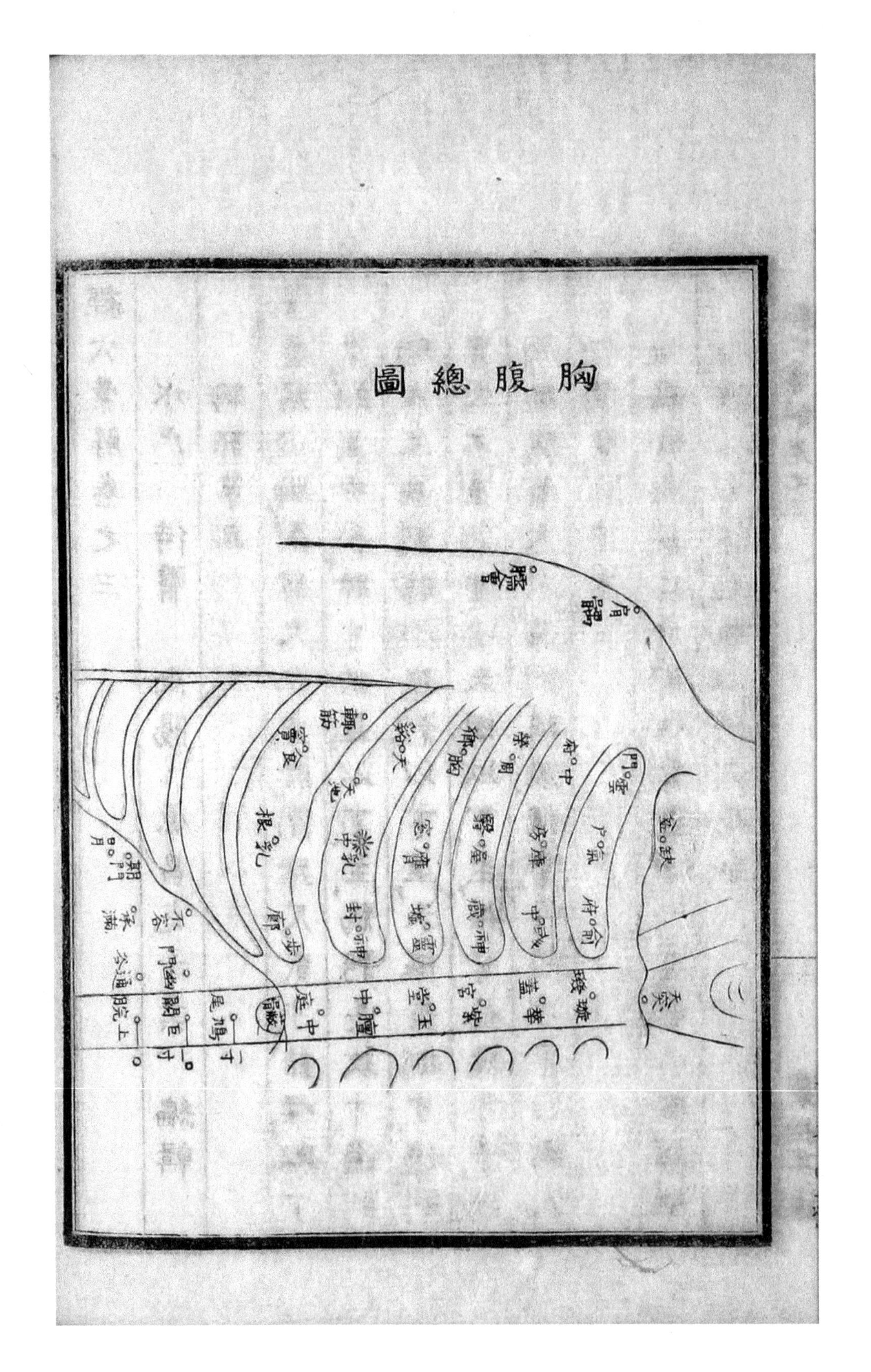
胸腹總圖
肩髃
臑會
缺盆
天突
璇璣
華蓋
紫宮
玉堂
膻中
中庭
鳩尾
巨闕
上脘
俞府
彧中
神藏
靈墟
神封
步廊
氣戶
庫房
屋翳
膺窗
乳中
乳根
雲門
中府
周榮
胸鄉
天谿
天池
食竇
輒筋
不容
承滿
幽門
通谷
期門
日月

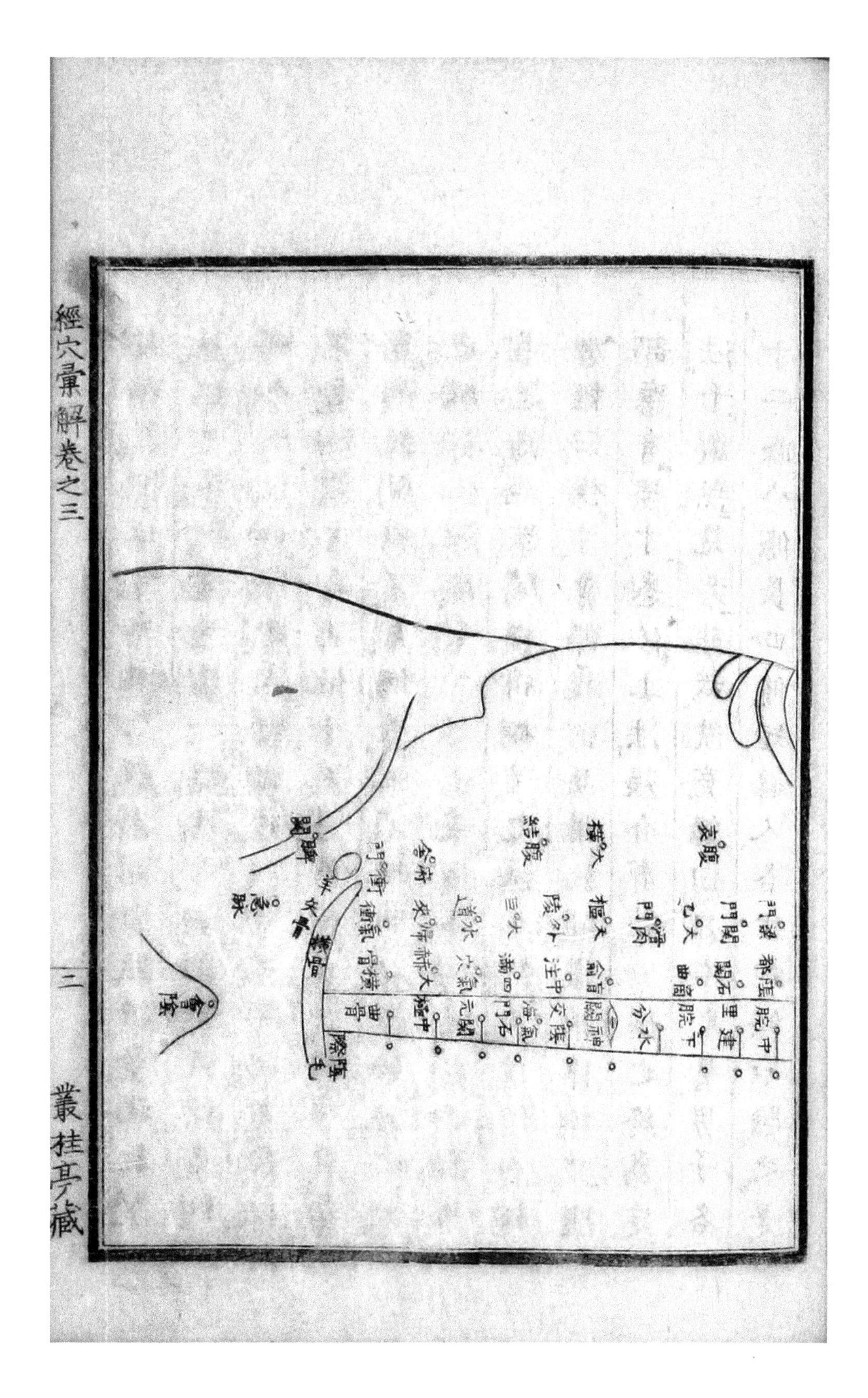
經穴彙解卷之三
二
叢桂亭藏

按兩乳間玖寸半甲乙經。亦同今試折量兩乳間爲玖寸半則壹寸當一指此之胸圍肆尺伍寸則略合其他如手足大繫相同以兩乳間捌寸折法不啻胸圍不合其他亦然舉體分寸一從骨度篇至兩乳間特不用何居此不知胸部除任脉之失也。胸部任脉廣壹寸半而其傍各肆寸直兩乳學者思諸兩乳間横折捌寸之法。未知出于何人神應經曰。横寸膺部腹部並用乳間横折作捌寸腹部應有横寸。悉依上法張介賓輩一從之終爲定法。千載無見者。悲哉。洗寃録曰。左右肋骨男子各十二條八條長。四條短婦人各十四條。今驗之是

也

胸中行自天突下行至中庭凡七穴

天突 素問 一名玉户 甲乙 一名天瞿 千金 缺盆之中 靈樞 頸結喉下貳寸中央宛宛中低頭取之 甲乙

按玉寶鑑作五誤素問云任脉氣所發者喉中央二次註曰謂亷泉天突二穴千金千金翼外臺作伍寸甲乙註引氣府論註曰伍寸今本作肆寸聚英醫統寶鑑呉文炳同明堂作伍分發揮入門大成作壹寸類經作參寸共不是次註入門作低針取之字誤骨度篇曰自結喉至天突肆寸是主骨度而言之正面正身取之甲乙經以為結喉下至

天突貳寸。是主取穴刺鍼而言之。故曰。低頭取之也。取此穴者。低頭取之。故資生經曰。其下針直横下不得低手。何則低手傷咽喉。此解低頭取之義也。低頭則咽喉沈而鍼刺無害。不可不知也。今人不知低頭則貳寸。正面則肆寸之義。謾作二說。非也。近世多自天突。至岐骨際折作捌寸肆分。如然則中庭當岐骨際。不可從也。按骨度篇。自天突至岐骨際玖寸。又云。膺中骨間。各一。今用玖寸。即捌寸肆分。為中庭穴。其下至岐骨際陸分。是古法也。

璇璣甲乙天突下壹寸。中央陷者中。仰頭取之。甲乙

按璣。千金。作機。恐誤。氣府論云。膺中。骨陷中。各一。

次註曰。謂璇璣。華蓋。紫宮。玉堂。膻中。中庭。六穴也。
胸部。載分寸。舉其大概也。故曰陷者中。只取骨間。
下同。大成。作壹寸陸分。非。說見下。
華蓋 甲乙 璇璣下壹寸。陷者中。仰頭取之。甲乙
按發揮。作貳寸。入門。寶鑑。大成。金鑑。作壹寸陸分。
共非。與又不合骨度之數。壹貳肋骨容而不疎。作
壹寸者。取之骨間之義也。
紫宮 甲乙 華蓋下。壹寸陸分。陷者中。仰頭取之。甲乙
玉堂 難經 一名玉英 甲乙 紫宮下。壹寸陸分。陷者中。仰頭
取之 甲乙
膻中 難經 一名元兒。甲乙 一名上氣海 類經 一名元見 大全 玉

堂下壹寸陸分。陷者中。仰而取之。橫直兩乳間。

千金 禁刺 千翼

一按膻。千金。千金翼。外臺。作亶古通用大全曰一名亶中不取資生類經。而作卧難經曰。玉堂下壹寸陸分。直兩乳間陷者是諸家以爲註文混入本文。故不載本文千金心臟篇曰胸痺心痛灸亶中百壯。穴在鳩尾上壹寸忌針非也。

中庭 膻中下壹寸陸分。陷者中。仰而取之。

按明堂。作膻中下壹寸入門。金鑑。作鳩尾上壹寸。此自天突至岐骨際作捌寸肆分之誤也

胸第二行。自俞府。俠璇璣。兩傍各貳寸。下行至步廊。凡十二穴

俞府（素問）一名輸府（大全　寶鑑）巨骨下。去璇璣。傍各貳寸陷者中。仰而取之。（甲乙）

按甲乙。外臺。明堂。俞作輸。下皆同。資生。聖濟。大全。寶鑑。作腧。千金。千金翼。發揮。聚英。作俞。是也。俞府出內經。俞。輸。腧。以音通用。大全。寶鑑。以為一名。今暫從之。千金翼。而作卧。外臺。作仰卧。而巨骨。胸前巨骨也。非穴名。璇璣。次註。作任脈。非也。大全曰。璇璣之傍。參寸所。不是。醫門摘要曰。胸部間。一肋。取穴。不可泥。壹寸陸分。可謂能知。取穴之法也。

或中甲乙俞府下壹寸陸分陷者中仰而取之甲乙

按而千金並翼方作卧外臺作仰卧而骨間各取一穴同上明堂云壹寸非矣或千金千金翼外臺明堂聖濟資生聚英寶鑑作或入門作域類經以下諸書每穴有去中行貳寸之解不是說見下

神藏甲乙或中下壹寸陸分陷者中仰而取之甲乙

按而千金翼作卧

靈墟甲乙神藏下壹寸陸分陷者中仰而取之甲乙

按千金曰墟或作墻入門作虛聚英醫統作去中行各開壹寸字誤

神封甲乙靈墟下壹寸陸分陷者中仰而取之甲乙

步廊神封下壹寸陸分。陷者中仰而取之

按廊。千金外臺聖濟資生作郎類經曰。俠中庭入門曰。去中庭外非也。横對中庭稍下陸分許。

胸第三行自氣户俠俞府兩傍各貳寸下行至

乳根凡十二穴

氣户甲乙巨骨下俞府兩傍各貳寸陷者中仰而取之

甲乙

按氣府論云膺中骨間各一類經聚英醫統吳文

炳金鑑大成每穴有去中行肆寸之解説見下次

註曰去膺窓上肆寸捌分聚英醫統吳文炳無上

字金鑑曰巨骨下壹寸並拘寶鑑曰資生云自氣

户至乳根六穴去膺中行各肆寸相去各壹寸陸

分今本不載

庫房甲乙氣户下壹寸陸分陷者中仰而取之甲乙

經穴彙解卷之三　七　叢桂亭蔵

按岡本作壹寸非也取諸骨間不必拘說既見

屋翳（甲乙）庫房下壹寸陸分（甲乙）陷者中仰而取之（千金）

按次註曰氣户下參寸貳分聚英曰巨骨下肆寸捌分隔穴而說分寸者不能無誤

膺窗（甲乙）屋翳下壹寸陸分（甲乙）陷中（聖濟）

按資生窓作牕同字次註作胸兩傍俠中行各相去肆寸巨骨下肆寸捌分誤

乳中（甲乙）當乳（資生）卽乳頭上（入門）禁刺灸（甲乙）微刺（資生）（又寶鑑引入門曰鍼瀉淺刺貳分今本不見）

按甲乙千金千金翼外臺無註古書之所妙次註曰膺窗之下卽乳中也資生註云亦相去寸陸分

非是相去二字不成義類經曰一傳胎衣不下以
乳頭向下盡處俱灸之即下。
乳根甲乙一名薜息千金乳下壹寸陸分陷者中仰而取
之。甲乙乳下第一肋間宛宛中千金
按千金方曰薜息在乳下第壹肋間宛宛中是也。
今移入一名寶鑑作壹寸肆分非矣醫學正傳曰
婦人在乳房下起肉處陷中只陷中二字可取。

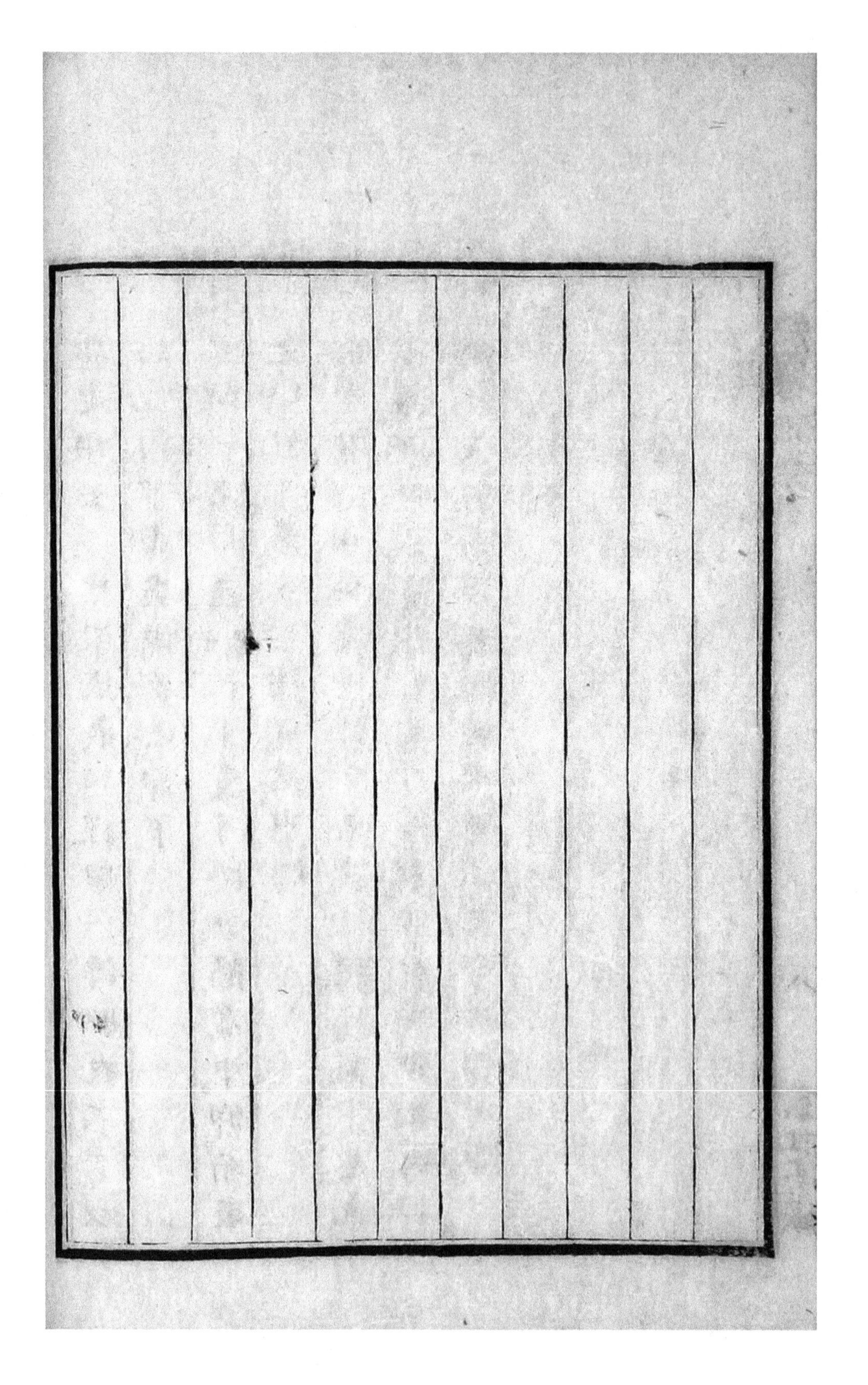

胸第四行自雲門俠氣户兩傍各貳寸下行至
食竇凡十二穴

雲門 素問 巨骨下氣户兩傍各貳寸陷者中動脉應手
擧臂取之 甲乙 刺太深令人逆息 甲乙 禁針 入門
按氣穴論云膺兪十二穴次註曰謂雲門中府周
榮胸鄉天谿食竇左右則十二穴也資生雲作云
通用次註有每穴横去任脉陸寸之解類經聚英
從之説見下

中府 脉經 一名膺中兪 甲乙 一名肺募 千金 一名府中兪 大全
雲門下壹寸乳上參肋間陷者中動脉應手仰而
取之 甲乙 禁灸 入門

按凡胸部諸穴。各在骨間。不待折量而言分寸者。
言大概也。千金。外臺一云壹寸陸分。明堂大成。岡
本從之。非也。胸骨狀如偃月。故第二行。折量稍長。
第三行與中行平。學者察諸膺中俞聚英醫統作
膺俞。素問曰膺俞。次註曰。中府穴。

周榮甲乙中府。下壹寸陸分。陷者中。仰而取之。甲乙　禁
灸入門寶鑑

按榮。甲乙作營。誤。今訂之。

胸鄉甲乙周榮。下壹寸陸分。陷者中。仰而取之。甲乙

天谿甲乙胸鄉。下壹寸陸分。陷者中。仰而取之。甲乙

食竇甲乙天谿。下壹寸陸分。陷者中。仰而取之。甲乙舉臂

取之金十

按金鑑作腹哀上行參寸或從乳上三肋間動脉應手處。往下陸寸肆分。迂甚矣。次註曰。雲門食竇。舉臂取之。餘並仰取之。

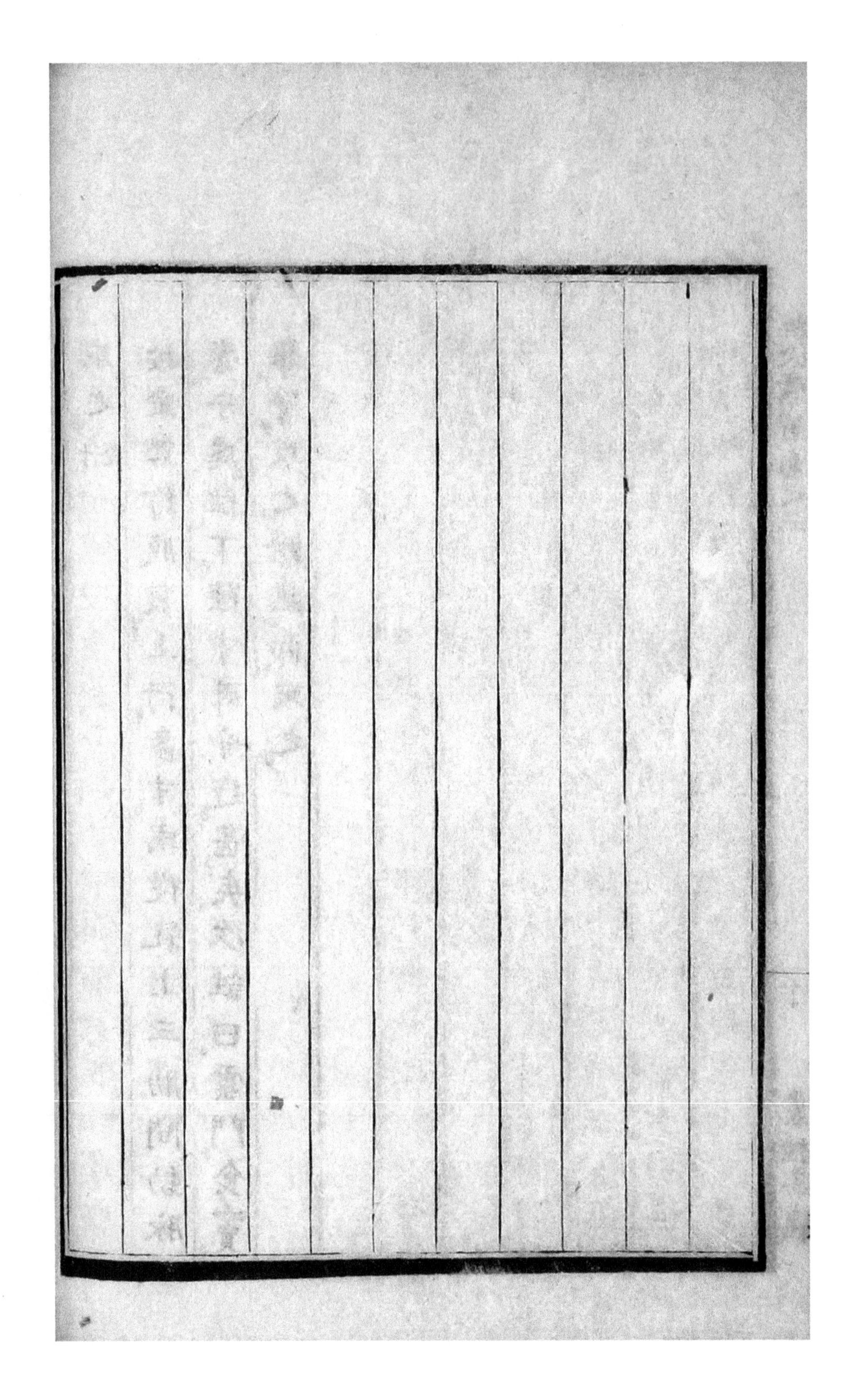

腹部第六

腹部折量。諸說衆多。不知所適從。按除中行法。內經云。衝脉氣所發者。二十二穴。俠鳩尾外各半寸。至臍寸一。俠臍下傍各伍分。至橫骨寸一。腹脉法也。甲乙經云。自幽門俠巨闕。兩傍各半寸。循衝脉下行至橫骨。又至肓俞云。直臍傍伍分。甲乙銅人等。皆云。衝脉足少陰之會。蓋以骨空論爲主也。獨難經云。並足陽明之經。俠臍上行。恐非也。鳩尾內經所稱。指蔽骨。不可以爲穴名也。其名本以蔽骨。狀似鳩尾。古書。指蔽骨者。什之八九。不可不知也。鳩尾外無穴。而言俠鳩尾外。即除蔽骨而取之也。

又至臍言俠臍則除臍可見也。鳩尾與臍上下相
照。其中間明於言外。是古文辭法也。又内經云足
陽明脉氣所發者。膺中骨間各一。俠鳩尾之外當
乳下參寸。俠胃脘各五。俠臍廣參寸。各三。下臍貳
寸。俠之各三。甲乙經云。自不容俠幽門兩傍各壹
寸伍分。至氣衝。又自期門。上直兩乳。俠不容兩傍
各壹寸伍分。下行至衝門。因此考之。臍傍伍分。足
少陰經也。其傍壹寸伍分。足陽明經也。其傍壹寸
伍分。上直兩乳。足太陰經也。共計參寸伍分。取一
繩自臍傍。横量至直乳下。斷去之。又去貳分半。折
爲參寸伍分。以定三經。此不問除任脉幾寸。始得

其法矣去貳分半說見下
世人皆云胸部每行至腹內屈伍分兩乳間捌寸
腹脾經相去柒寸不知何據骨度篇曰胸圍肆尺
伍寸腰圍肆尺貳寸腰減於胸參寸雖今人皆然
兩乳相去玖寸半是古法也胸部各以貳寸相去
至乳中左右共捌寸其所餘寸半此任脈與鳩尾
與臍之分也凡玖寸半腹部各相去凡參寸半而
為柒寸合任脈之分壹寸半凡捌寸半胸去中行
肆寸柒分強至乳中腹去中行肆寸貳分強至直
乳中此腰減於胸參寸則腹居于其中可知減於
胸自臍至橫骨陸寸半又橫骨長陸寸半腹部四

行。共不出其兩端。然則自胸至腹漸漸狹。而腹至
横骨更狹。故二行。三行。四行。依分量目巧取之。何
有内屈之理。諸書一據兩乳捌寸。說故如其所載
去中行幾寸去任脉幾寸。皆無瞀之言。故不取也。
而今不言任脉廣幾寸者。無明文也。甲乙經不容
註曰。去任脉參寸除幽門俠巨闕伍分。不容俠幽
門。壹寸伍分所餘壹寸。兩傍合為貳寸。又千金方
曰。去任脉貳寸。所餘伍分兩傍合為壹寸。不知孰
是。故今以臍與鳩尾。定除任脉之分量。不言幾寸
者。内經之意也。世人以兩乳捌寸之度。除任脉果
如何耶。其說至中府雲門。去乳中貳寸而窮矣。故

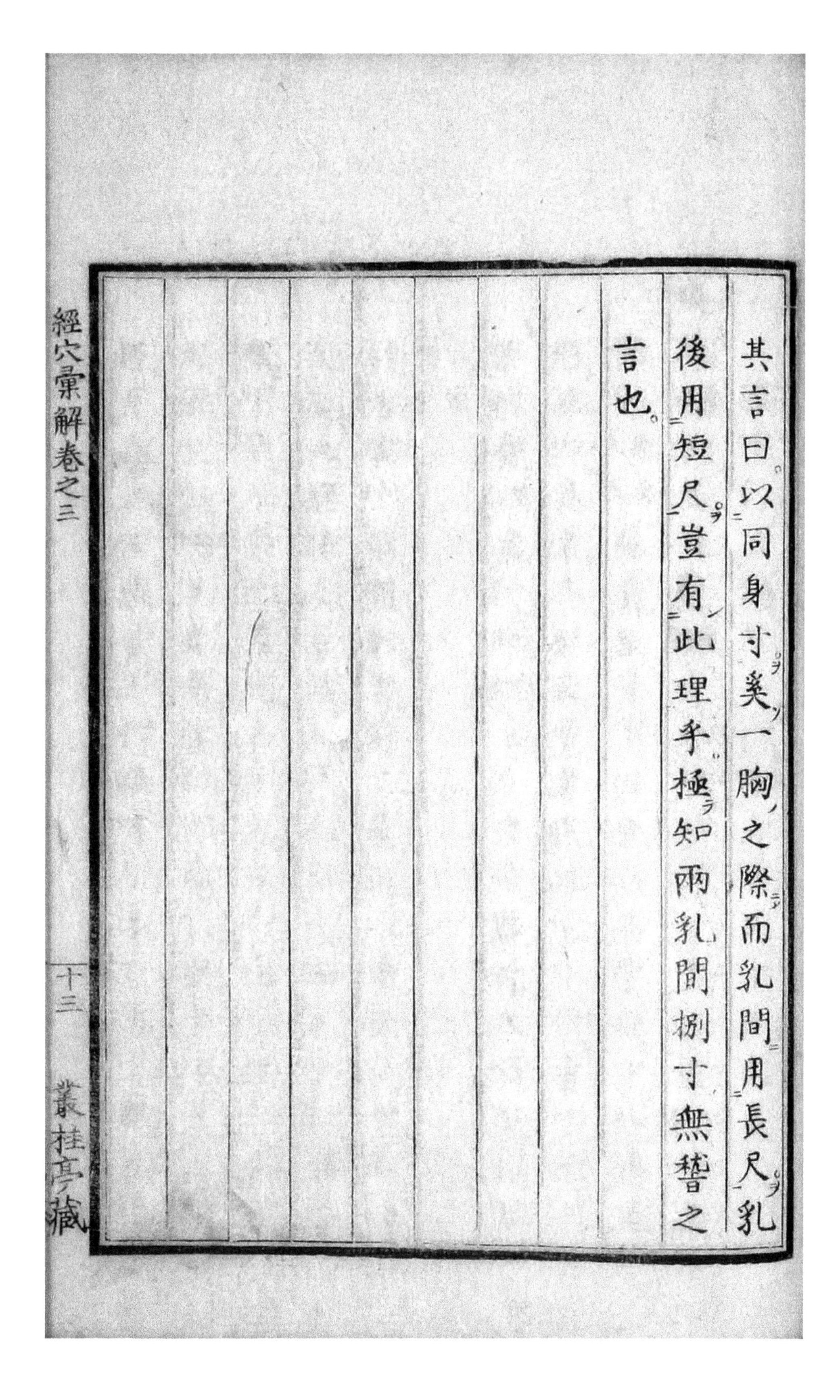

其言曰以同身寸矣一胸之際而乳間用長尺乳後用短尺豈有此理乎極知兩乳間捌寸無瞽之言也。

言也

腹中行自鳩尾下行至會陰凡十五穴

鳩尾（素問）一名尾翳（靈樞）一名髑骬（甲乙）一名神府（千金）一名骭骬（聚英大成）臆前蔽骨下伍分（甲乙）其骨垂下如鳩尾形故以為名人無蔽骨者從歧骨下行壹寸（聖濟）禁刺灸（甲乙）宜針（外臺引甄權）此穴大難針大好手方可針（資生）

按古書中稱髑骬者有三義或歧骨或蔽骨或謂穴名又稱鳩尾者亦同後人不之知也素問曰鳩尾下參寸胃脘胃脘上脘也又足陽明脉氣所發之章云俠鳩尾之外當乳下參寸俠胃脘言陽明經至直乳俠蔽骨下行歧骨下參寸至上脘傍復

下行也。又云。髃骬至臍捌寸。大倉居其中。大倉中脘也。言自歧骨際至臍捌寸。中脘在其中央也。此髃骬。指歧骨際俠鳩尾之外之鳩尾。指蔽骨。何則蔽骨有長短。故皆據歧骨爲度。蔽骨長爲伍分。乃稱鳩尾。穴者皆在歧骨下壹寸。千金傷寒篇曰。灸心下三處。第一處去心下壹寸。名巨闕。第二處去心下貳寸。名上脘。第三處去心下參寸。名胃脘。各灸五十壯。然人形大小不同。恐寸數有異。可繩度隨其長短寸數。最佳。取繩從心頭骨名鳩尾頭。度取臍孔中。屈繩取半。當繩頭名胃脘。又中屈半繩更分爲二分。從胃脘向上度一分。即是上脘。又上度取一分卽是巨闕此說不是俗多以從鳩尾穴至臍爲捌寸或自蔽骨爲捌寸而以腹部臍上柒寸伍分折量諸穴置其間故不合遂以中脘爲鳩尾下參寸或參寸半妄說也又按甲乙經曰上脘在巨闕下壹寸伍分去蔽骨參寸中脘在上脘下壹寸居心蔽骨與臍之中此皇甫氏之誤也滑壽遂以髑骬鳩尾共做蔽骨而看故曰上脘去蔽骨參寸註上脘曰巨闕下壹寸當壹寸伍分強合內經鳩尾下參寸文蓋鳩尾穴在蔽骨下伍分古來相傳之說也滑壽曰無蔽骨者從岐骨際下行壹寸是也然不辨蔽骨長短故後人論說棼然余按

岐骨至臍爲捌寸岐骨下行壹寸。爲鳩尾穴此蔽骨長伍分。爲常人之度其下伍分爲鳩尾穴是大概而言之由此觀之假令蔽骨長壹寸亦以爲伍分。自蔽骨端至臍中。折爲柒寸伍分。以定其穴其傍準擬而取之也若蔽骨短不見者以岐骨下壹寸取鳩尾恐無害學者察諸村上親方。骨度正誤曰。䯏骬者蔽心骨而從岐骨之間。垂下如指之大骨也附胸骨之部分也。是胸腹之界限也。不察于此。而以岐骨爲限。以分骨度豈合經旨乎。捨蔽骨而取岐骨豈合骨度乎。其弊由不知䯏骬有三義。肘后曰心厭者指鳩尾或言心厭矣心厭之說。多

参差。蓋不知有三義也。厭與蔽同。護於心臟之意也。廣雅曰。髑骬缺盆骫也。玉篇曰。肩骨。不是

巨闕 脉經一名心募。大成鳩尾下壹寸。甲乙

按肘后方曰。正心厭尖頭下壹寸。不是。又曰。心厭尖尖四下一寸以赤度之。此文不解。恐有脱誤。資生曰。鳩尾拒者。少令強壹寸。中人有鳩尾拒之。亦不可解。千金。外臺。巨闕註。散見各篇者。差謬多。不與明堂篇所記同。以其文繁。故不録于此。金鑑曰。两岐骨下貳寸。大成亦作鳩尾。两岐骨下壹寸。両字。不可解。骨度正誤曰。巨闕一穴。今人多言臍上陸寸。非也。是亦自張氏始。是由岐骨蔽骨之差也。

當作陸寸伍分矣。此說亦誤。

上脘脉經一名胃脘。一名上紀。素問一名胃管。鄉藥集成一名上管。資鑑巨闕下壹寸。千金臍上伍寸。類經鳩尾下貳寸。

增註孕婦禁灸。類經不針。鄉藥集成

按甲乙經作巨闕下壹寸伍分。去蔽骨參寸也。非矣。說既見爲壹寸伍分。腹部傍穴皆不合內經。每寸一穴。意上脘中脘下脘外臺皆作管。

中脘甲乙一名大倉。素問一名胃募。千金髃骬至臍捌寸。大倉居其中。爲臍上肆寸。素問上脘下壹寸。甲乙鳩尾下參寸。千金孕婦禁灸。類經

按至臍臍上。皆自臍中度之。經云。上紀者胃脘也。

次註曰。謂中脘。資生類經以胃脘上紀爲中脘一名。而經曰鳩尾下參寸。胃脘伍寸。胃脘脘管也。上脘。中脘。皆胃脘也。然則上紀者蓋上脘。一名資生類經。共承王氷之誤。千金翼胃病篇曰。心下貳寸名胃管。又曰。胃管在心鳩尾下參寸。是上脘中脘。共稱胃管。又鍼灸中篇作心下肆寸。甲乙作在心蔽骨與臍之中。非也。說既見。肘后方曰。在心厭下肆寸。千金霍亂篇曰。在心厭下肆寸。臍上壹夫。巨闕註言心厭尖者。指蔽骨。此言心厭者。似指歧骨。然易混。故不取。

建里　甲乙　中脘下壹寸。甲乙　臍上參寸。類經　鳩尾下肆寸。入門

孕婦禁灸。類經禁灸門

下脘 脉經一名幽門。聖濟建里。下壹寸。甲乙臍上貳寸。類經鳩尾下伍寸。入門 孕婦禁灸。外臺引甄權

按難經曰。大倉下口爲幽門。滑壽曰。在臍上貳寸下脘之分。以幽門不爲穴名。今從聖濟總録氣府論曰。鳩尾下參寸胃脘。伍寸胃脘。

水分 甲乙一名中守。千金一名分水。明堂下脘。下壹寸。臍上壹寸。甲乙鳩尾下陸寸。入門 孕婦禁灸。外臺引甄權 禁刺。資生註曰。明去水氣。惟滑針水溝針餘穴水盡即死。何於此却云可針。今按數不針爲是。

按明堂醫學綱目。作分水。今爲一名。難經云。大腸小腸之會爲闌門。滑壽曰。在臍上壹寸。水分穴。諸

家以關門不爲水分一名暫記之以俟知者又奇穴有水分

神闕外臺古名臍中甲乙一名氣舍外臺禁刺甲乙

按古書無註氣穴論曰臍一穴甲乙千金並翼方次註皆曰臍中而無神闕之名此名見于外臺資生大全寶鑑舍作合恐字誤

陰交甲乙一名少關一名橫戶甲乙一名丹田神相全編臍下壹寸甲乙自臍中心度之增註孕婦禁灸外臺引甄權

按外臺甄權云穴在陰莖下附底宛宛中程敬通曰似屬會陰非陰交也類經聚英醫統呉文炳並曰三焦募神相全編曰丹田臍下壹寸是也

氣海 脉經 一名脖胦。一名下肓 甲乙 一名丹田 本事 臍下壹寸伍分。甲乙 宛宛中 明堂 忌不可針 千金 孕婦禁灸 外臺 引甄權

按脖。呉文炳作哱大成作脖肓作音。呉文炳作壹寸。非本事方曰氣海一穴。道家名曰丹田

石門 甲乙 一名利機。一名精露。一名丹田。一名命門。甲乙 一名三焦募 大成引聚英今本不見。臍下貳寸 甲乙 女子禁刺灸中央不幸使人絕子 甲乙

按甲乙曰。三焦募。孫真人曰。至如石門關元二穴。在帶脉下。相去壹寸之間。針關元主婦人無子。針石門則終身絕嗣。神庭一穴在於額上。刺之主發

狂灸之則愈癲疾其道幽隱豈可輕侮之哉

關元素問一名下紀素問一名次門甲乙一名丹田資生一名大中極大全一名小腸募大成引聚英今本不見齊下關元參寸素問

按周密癸辛雜志曰張安道養生訣云丹田在臍下參寸是也資生經曰臍下貳寸名石門明堂載甲乙經云一名丹田千金素問註亦謂丹田在臍下貳寸世醫因是遂以石門爲丹田誤矣丹田乃在臍下參寸難經疏論之詳而有據寶鑑曰關元一名丹田按陰交氣海石門關元皆名丹田恐有誤類經曰此穴當人身上下四旁之中故又名大

中極疑是中極之解誤寫于此也。暫存之。脉經甲乙並曰小腸募。

中極脉經一名氣原。一名玉泉。甲乙一名膀胱募。千金翼臍下肆寸。甲乙關元下壹寸。千金孕婦禁灸。外臺針即有子。又云灸不及針。資生

按脉經甲乙並曰膀胱募。

曲骨甲乙一名尿胞。一名屈骨。一名屈骨端。千金橫骨上。中極下壹寸。毛際陷者中。動脉應手。甲乙

按臍中以下至橫骨長陸寸半。是古法也。今人臍心下至橫骨。折作伍寸。此誤讀張介賓說。遂至此。張氏至曲骨。折作伍寸。謂毛際曲骨。穴非謂橫骨

也甲乙經中極下壹寸爲曲骨當橫骨上壹寸半
毛際從俗說則此穴當陰毛中橫骨故知其非是
千金曰小便數起灸玉泉下壹寸名尿胞一名屈
骨端又赤白沃陰中乾痛惡合陰陽小腹䐜堅小
便閉刺屈骨入寸半灸三壯在中極下壹寸即曲
骨也今移爲一名

會陰甲乙一名屏翳甲乙一名金門千金一名平翳大全一名
下極金鑑大便前小便後兩陰之間甲乙
按千金云金門在穀道前囊之後當中央是也從
陰囊下度至大孔前中分之今移爲別名

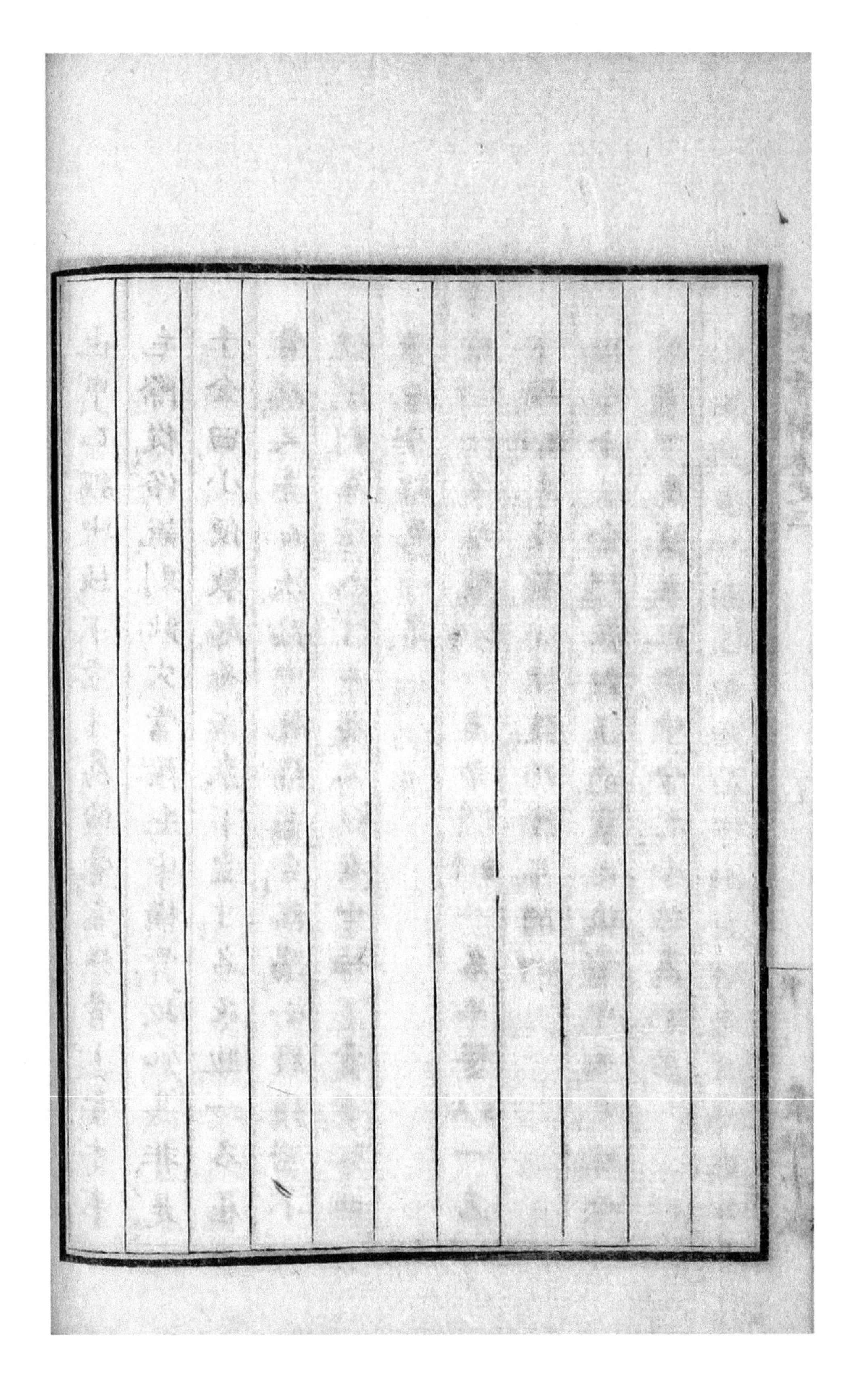

腹第二行自幽門俠巨闕兩傍各半寸下行至

橫骨凡二十二穴

幽門一名上門巨闕兩傍各伍分陷者中

按明堂入門大全作壹寸半千金心臓篇作壹寸

金鑑從之以上諸書似有所見然不合經文今定

不容穴内又壹寸伍分取此穴

通谷幽門下壹寸陷者中俠上脘類經

按聚英引素問註曰自肓俞至幽門去中行各壹

寸誤也今閱次註曰俠巨闕兩傍相去各半寸下

五穴各相去壹寸是謂幽門以下五穴上下之間

各壹寸非去中行之謂不然不合内經俠鳩尾外

經穴彙解卷之三　廿一　叢桂亭藏

各半寸。至臍寸一之文而相去二字惑諸人。

陰都甲乙一名食宮甲乙一名通關醫綱通谷下壹寸俠胃管千金

按醫學綱目引摘英曰。通關在中脘傍各伍分。針入八分。左撚能進飲食。右撚能和脾胃。許氏曰此穴一針四效。凡下針後良久覺脾磨食覺針動爲一效。次針破病根腹中作聲爲二效。次覺流入膀胱爲三效。又次覺氣流行腰後骨空間爲四效。主治五噎。吞酸多睡嘔吐。不止是爲陰都穴明矣乃今移入一名。

石關甲乙一名石闕千金陰都下壹寸。甲乙並建里。醫門摘要

商曲甲乙一名高曲千金石關下壹寸甲乙並下脘醫門摘要

按商曲。寶鑑作商谷

肓俞甲乙商曲下壹寸直臍傍伍分甲乙

按肓千金外臺金鑑作肓資生作育類經曰商曲下壹寸當作貳寸內經云俠鳩尾外各半寸至臍寸一蓋古必自幽門至肓俞有七穴甲乙經以來已闕之甲乙商曲下壹寸以直臍傍之字見之後人誤以貳作壹也距古之遠無所可考今姑不取商曲下壹寸伍字唯定此穴於臍傍伍分從張氏說

中注甲乙肓俞下壹寸。資生

按甲乙、千金、外臺、次註作肓俞下伍分。發揮、類經、聚英、入門、醫統、寶鑑共從資生。據内經俠臍下傍各伍分至横骨寸一之義，則資生爲得。

四滿甲乙 一名髓府甲乙 中注下壹寸甲乙 俠丹田千金

按髓，外臺作隨，聚英、呉文炳大成府作中。千金曰：丹田兩邊相去各壹寸半。千金翼無半字，蓋是脱字也。丹田在臍下貳寸是也，此説可從。又曰：俠丹田兩傍相去參寸，卽心下捌寸，臍下横文是也，不可從。丹田是石門也，發揮作氣海，傷壹寸，非也。

氣穴甲乙 一名胞門 一名子户甲乙 四滿下壹寸甲乙

按脉經曰：胞門在大倉左右參寸。大倉，中脘別名也。千金婦人篇曰。胞門關元左邊貳寸是。右貳寸名子戶。此二說不與本穴相關渉。又冠中字。詳于奇穴部。又婦人良方胎動不安論曰。服藥致補熯。而反使胞門子戶爲藥所爍搏。自註曰。巢氏病源並產寶並謂之胞門子戶。張仲景謂之血室。

大赫 甲乙 一名陰維。一名陰關。甲乙 氣穴下壹寸。甲乙 按千金腎臟篇曰。屈骨端參寸。不合諸書。且千金屈骨端。爲曲骨橫骨之別名。益不可解。此他千金言屈骨者不一。說見下。

橫骨 素問 一名下極。甲乙 一名屈骨。千金 大赫下壹寸。甲乙 肓兪下伍寸。發揮 陷中。入門 禁刺。入門按大全周身經穴賦作横谷又曰一名屈骨端千金曰屈骨端陰上横骨中央宛曲如却月中央是也此名横骨千金翼同千金霍亂篇灸慈宮註曰横骨在臍下横門骨是蓋横門骨言横骨也又陰癩篇曰灸玉泉穴在屈骨下陰又三焦篇曰水道穴在俠屈骨相去伍寸千金翼曰屈骨在臍下伍寸屈骨端水道兩傍各貳寸半又淋閉篇曰玉泉下壹寸名尿胞一名屈骨端曲骨穴下宜合考凡言屈骨者不一恐有差却月入門作如仰月陷中曲骨外壹寸半呉文炳作仰月中央去腹中行各壹寸半李時珍作偃月醫統作卧月洗寃録曰婦

人隱處。其骨爲羞秘骨。不可撿驗。蓋橫骨也。

叢桂亭藏

腹第三行。自不容。俠幽門兩傍各壹寸半。下行至氣衝及急脉。凡二十六穴

不容 甲乙 幽門傍。壹寸伍分。去任脉參寸 兩肋端。相去肆寸 甲乙 對巨闕。類經

按兩字諸書作四。此穴對巨闕。巨闕傍貳寸。直貼肋端。四肋之數不合。且以肋數言之。必有第字。至此特不冠第字。只千金。作直四肋。端次註冠第字而期門。言第二肋。期門在不容傍而二四易位。故人多疑之。今考之。不容直貼左右兩肋端。此肋爲岐。左右分垂。如一肋而相分。故因其形狀言兩也。甲乙曰。去任脉參寸。按幽門俠巨闕。兩傍伍分。不

容。幽門傍壹寸伍分。凡貳寸也。參當作貳。去任脉傍貳寸。取此穴類經。引此文作貳寸。千金千金翼外臺。作去任脉貳寸。是也。甲乙經曰。相去肆寸。謂相去兼任脉而量之也。次註。作俠腹中行。兩傍相去各肆寸。誤讀甲乙文。增各字。則相去字不成語。今删去任脉參寸。並相去肆寸之數。言入門作平巨闕參寸。醫統聚英。作去中行任脉各參寸。共受甲乙寫誤。而不深考也。明堂作在上管。兩傍各壹寸。非矣。

承滿甲乙不容下壹寸。甲乙對上脘類經

按千金及翼方。大腸篇曰。俠巨闕。相去伍寸。巨闕

在心下壹寸灸之者俠巨闕兩邊各貳寸半非說
既見

梁門甲乙承滿下壹寸甲乙對中脘類經孕婦禁灸類經

關門甲乙梁門下太乙上甲乙梁門下壹寸千金對建里類經
按千金翼門作明誤外臺作伍分非也

太乙甲乙關門下壹寸甲乙對下脘類經
按千金並翼方外臺次註資生聖濟寶鑑作太一
無異義千金翼門作明誤

滑肉門甲乙太乙下壹寸甲乙天樞上壹寸對水分類經
按聚英醫統作下夾臍下壹寸至天樞去中行參
寸下夾之下字吳文炳作一

天樞脉經一名長谿。一名谷門甲乙一名大腸募肘后一名循際。一名長谷。千金去肓俞壹寸伍分。俠臍兩傍各貳寸。陷者中。甲乙滑肉門下壹寸。次註魂魄之舍。不可鍼。千金孕婦禁灸。同上

按谷門。千金。千金翼。外臺。資生。聖濟。類經。發揮。聚英。大全。醫統。作穀門。音通。資生。谿作雞。肓作育。千金脾臟篇曰。長谷俠臍相去伍寸。一名循際。又曰。俠臍相去參寸。魂魄之舍。不可針。大法。在臍傍壹寸。合臍相去可參寸也。千金翼作俠臍相去各貳寸。聚英。呉文炳。作去肓俞半寸。蓋寸半之誤。大成。作壹寸。脫字。奇穴部。魂舍。可合考。

外陵甲乙天樞下大巨上。甲乙天樞下壹寸。次註對陰交。類經
按千金作天樞下半寸非也。半寸當作寸半。當時或有此說。外臺作長谿下伍寸。東洋先生曰。寸疑當作分。又從千金之說也。景岳全書曰。在臍左右各開壹寸半。灸疝立効。永不再發。屢用屢驗。臍者陰交之誤。

大巨甲乙一名腋門。甲乙長谿下貳寸。甲乙外陵下壹寸。次註對石門。類經
按腋。外臺作掖。千金作臍下壹寸兩傍各貳寸。非也。長谿天樞也。

水道甲乙大巨下壹寸。增註

按甲乙、千金、千金翼、次註、外臺共作大巨下參寸。以下諸書從之。聚英、吳文炳作貳寸。千金、千金翼曰俠屈骨相去伍寸。此水道蓋奇穴。詳奇穴部。寶鑑作天樞下伍寸、非是。說見下。

歸來 甲乙 一名谿穴 甲乙 水道下壹寸 增註

按甲乙、千金、千金翼、氣府論註、聖濟作貳寸。水熱穴論註、新校正作參寸。外臺作伍寸。千金註、資生引外臺作參寸。說見下。千金婦人篇作俠玉泉伍寸、不是。

氣衝 素問 一名氣街 素問 歸來下、鼠鼷上、壹寸。動脈應手 甲乙 宛宛中 資生 灸之不幸使人不得息 甲乙 禁刺 資生按大全曰。一名氣沖。衝沖古通用。非一名。不取。骨空論曰。毛際動脉。歸來下動脉是也。千金外臺作歸來下壹寸。鼠鼷。素問曰。刺氣街中脉。血不出。為腫鼠僕。註曰。氣街在腹下俠齊兩傍相去肆寸。鼠僕上壹寸動脉應手。新校正云。別本僕作鼷。張介賔曰。僕當作鼷。千金翼作鼠鼷。醫門摘要曰鼠鼷羊矢同。非矣。羊矢骨與是不同。按王冰言俠臍兩傍相去肆寸者誤。又水熱穴論註曰。齊下横骨兩端。鼠鼷上壹寸。本草別録。馬刀。條曰。除肌中鼠鼷。外臺其門註曰。鼠鼷痛。小便難。金鑑曰。腿班中有肉核。名曰鼠鼷。谿鼷音通。說文曰。小鼠也。卽春秋言鼷鼠食郊牛角者陳藏器曰鼷鼠極細卒不可見尹文子曰鄭人謂玉未琢者爲璞周人謂鼠未腊者爲璞周人遇鄭賈人曰欲買璞乎鄭賈曰欲之出璞視之鼠也因謝不取戰國策同蓋僕鼷者璞之轉訛也按毛際腿中肉核動應手俗所謂横根所是也千金外臺並作歸來下壹寸入門作天樞下捌寸夫臍下至横骨陸寸半骨度爲然何得捌寸素問曰俠鳩尾之外當乳下參寸俠胃脘各五次註曰謂不容承滿梁門關門太乙五穴也又曰俠臍廣參寸各三註曰謂滑肉門天樞外陵也又曰下臍貳寸俠之各三註曰謂大巨水道歸來

也。馬蒔曰。鳩尾下參寸。胃脘伍寸。言鳩尾下壹寸曰巨闕。又下壹寸半。曰上脘。今曰參寸者。正以鳩尾上之蔽骨數起也。鳩尾下參寸半。為胃之中脘。今伍寸者字之誤也。以下至橫骨。言自中脘以下有建里下脘水分神闕陰交氣海石門關元中極曲骨等穴。共計壹拾參寸。今曰陸寸半。壹者疑當為貳。陸寸半者二則為拾參寸也。是腹部中行之脉法也。此註牽強傅會。可笑也。巨闕下壹寸半。取上脘。穴強合經文。此承皇甫氏之謬也。不知臍下至橫骨陸寸半。為壹拾參寸。說以壹為貳。故誤。如此解書。何難之有。如其無徵。何學者察諸折衷曰。

天樞與任脉神闕相對氣衝與任脉曲骨相對而自曲骨至神闕相去伍寸也如斯從天樞至氣衝亦當相去伍寸然甲乙說天樞氣衝之間相去分寸甚有餘而難合于曲骨神闕相去之寸恐非也經曰下齊貳寸各三貳寸中有三穴也不可解凡臍下肆寸而別取此氣衝穴於毛際與經文合從甲乙千金等大巨水道歸來相去爲貳寸則至歸來陸寸歸來下半寸間取此穴而不合經文毛際語竊疑素問上文言夾臍參寸各三至此乃言下齊貳寸各三貳字參誤不然則各字不穩且大巨水道歸來各每寸一穴則與外陵並度之得臍下

肆寸乃歸來下壹寸為氣衝穴正與橫骨二穴相對又俠鳩尾之外當乳下叄寸之叄亦伍之誤然則俠鳩尾之傍當乳下行伍寸每寸一穴各字義亦穩矣仍記數言以待來哲因次註俠中行貳寸語以此穴為橫骨兩端不覺衝門同處甲乙千金以氣衝屬腹部三行以衝門屬四行腹部四行自兩乳下行至橫骨端因知自胸至小腹漸挾也而其書俠任脈幾寸使人知在某行中也甲乙千金以部分列故言自某穴俠某穴幾寸至某穴言起自某穴傍下行至某穴也外臺始以穴繫經而以任脈屬腎經督脈屬膀胱經及滑壽十二經合任

督二脉為十四經。爾後說經穴者一據十四經至一行中。別布置三四所。廼每穴不能言俠某幾寸。後人不知此義也。故以腹部四行置橫骨陸寸半中準擬分量目巧度之。骨度正誤曰。自天樞至橫骨陸寸半。蓋腎經與任脉。不為臍下伍寸也。脾胃之兩經。可取於陸寸半矣。是亦臆說。古書言橫骨有二義。以橫骨為穴名。故有此誤。

急脈（素問）厥陰毛中。（素問）陰髦中。陰上兩傍。相去貳寸半。按之隱指堅然。甚按則引上下也。其左者。中寒則引少腹下引陰丸。善為痛。為少腹急中寒。此兩脉皆厥陰之大絡。通行其中。故曰厥陰急脉。即睾之

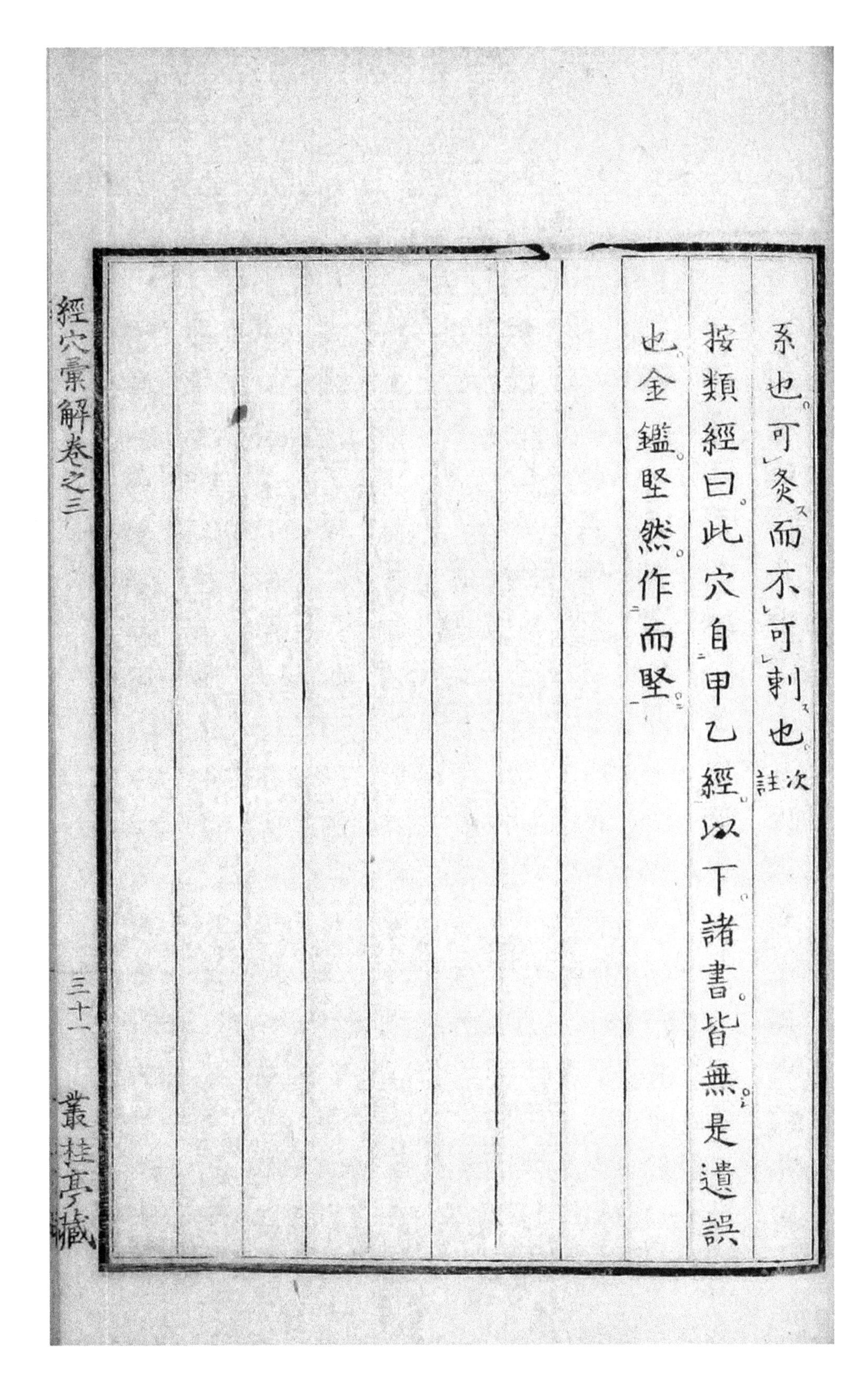

系也。可灸而不可刺也。次注

按類經曰。此穴自甲乙經以下諸書。皆無。是遺誤也。金鑑堅然作而堅。

腹第四行。自期門上直兩乳。俠不容兩傍各壹寸半下行。至衝門。凡十四穴。

期門傷寒論　一名肝募大成　第二肋端不容傍各貳寸伍分上直兩乳。舉臂取之。甲乙　承滿傍。增註

按第二肋及兩肋說詳于不容下。本文不容字寫誤。當作承滿。其傍各壹寸伍分。上直兩乳第二肋端。是期門也。第二肋。千金曰。奔豘灸期門百壯。穴直兩乳下第二肋端傍肋。舊作脇誤。針灸篇婦人病中作肋第二肋。言乳下第二肋也。端本事方作間非矣。不容。當兩肋端。其傍壹寸伍分則在膺骨間。而甲乙千金。共屬腹部。可疑之一也。不容在肋端。其傍壹

寸伍分。又謂肋端可疑之二也。在膂骨間。而謂肋端。可疑之三也。自大横倒量上行。至不容。不合骨度之數者。壹寸可疑之四也。故謂傳寫之誤也。今試自直臍大横穴量之。大横上參寸腹哀。腹哀上壹寸伍分日月。日月上伍分。横平當通谷也。通谷傍壹寸伍分承滿也。承滿傍壹寸伍分。直兩乳下行。當肋端。於是不容誤謬。可始解矣。延世唯取不容二字。不取肋端直兩乳五字何也。聚英作乳直下壹寸半。大成作乳傍壹寸半直下又壹寸半。不是。寶鑑曰。令人仰臥。從臍心正中向上伍寸。以墨點定。從墨點兩邊横量各貳寸半。此乃正穴。大約直兩乳為的。此說為是。而言貳寸半者不可從。

日月甲乙一名膽募。一名神光。千金期門下伍分。千金一

按千金外臺資生聖濟作期門下伍分。是也。次註

作第三肋端。横直心蔽骨傍各貳寸伍分。上直兩

乳無瞀之言也。何則日月在期門下伍分。期門乳

下肋端是也。假使期門在不容傍蔽骨下壹寸伍

分傍此不容也。其下伍分無横直心蔽骨之理。資

生經有陷中字。此以期門取不容傍之誤也。以為

期門在不容傍壹寸伍分。則此穴亦在胸中骨間。

故謂陷中杜撰也。甲乙經作期門下壹寸伍分。蓋

據期門在不容傍之文。後人謾補入壹寸字也。故

今從千金等。聚英日月無。說見輒筋。

腹哀甲乙日月下壹寸伍分。甲乙禁鍼灸。入門

按入門作日月下壹寸非也。說見期門。

大橫甲乙一名腎氣。醫綱腹哀下參寸。直臍傍。甲乙

按千金。作貳寸。資生。聖濟。發揮。類經。聚英。醫統。呉文炳。作參寸伍分。寶鑑。作壹寸陸分。共非也。說見上腎氣穴。醫學綱目。引扁鵲曰。臍傍相去各肆寸。主治脚氣。蓋此穴也。乃今移入一名。千金膀胱篇曰。俠臍兩邊。各貳寸伍分。非也。

腹屈甲乙一名腹結。甲乙一名腸結。千翼一名腸窟。外臺一名陽窟。聚英。呉文炳。大橫下壹寸參分。甲乙

按資生作參分蓋脫壹寸字也

府舍 腹結下參寸

按千金鍼灸篇婦人病作去大横伍寸聚英呉文炳作腹哀下參寸入門寶鑑作大横下參寸大成作腹結下貳寸寶鑑同之共非也醫門摘要曰衝門上七分是也

衝門 一名慈宮 一名上慈宮聚英 上去大横伍寸在府舍下横骨兩端約文中動脉

按千金曰泄利所傷煩欲死者灸慈宮二七壯在横骨兩邊各貳寸半不是

側脇部第七凡二十穴

骨度篇曰。角以下。至柱骨長壹尺。行腋中不見者長肆寸。腋以下。至季脇長壹尺貳寸。季脇以下。至髀樞長陸寸。

按角。額角也。柱骨。天柱骨也。共見面部。

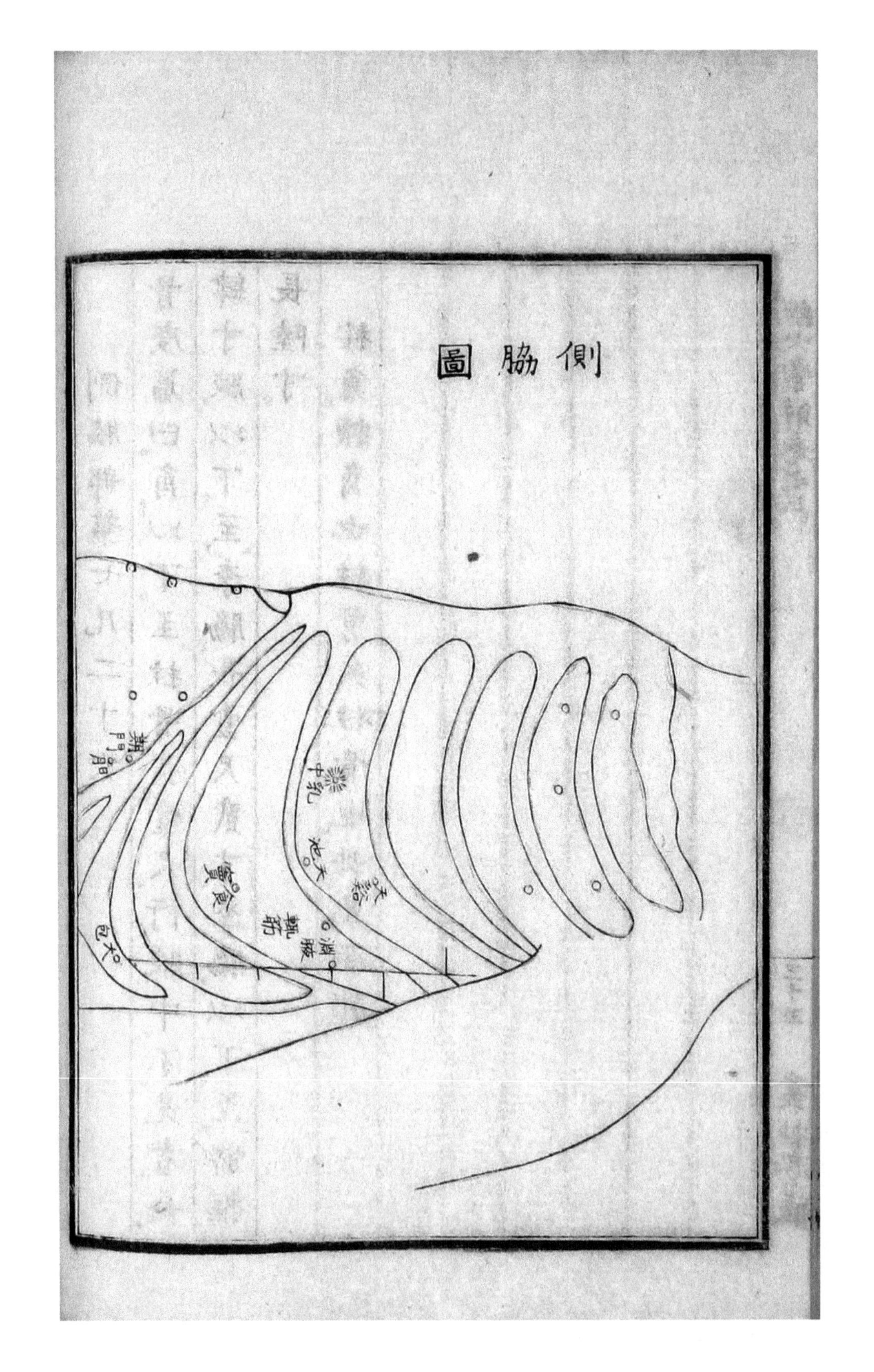
側脇圖
期門
日月
乳中
天池
天谿
食竇
淵腋
輒筋
大包

經穴彙解卷之三

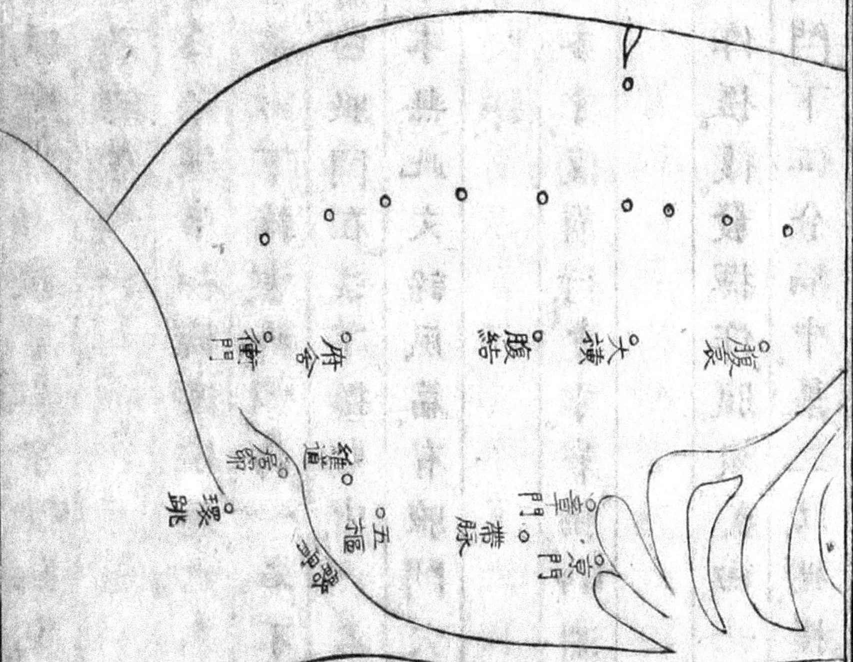

腹哀
大横
腹結
府舍
衝門
章門
京門
帶脈
五樞
維道
居髎
環跳

三十六

叢桂亭藏

淵腋靈樞一名腋門。千金註腋下參寸。素問宛宛中。舉臂取之。甲乙禁灸。甲乙禁刺。入門

按千金等作泉腋。唐祖諱淵。故避之。大淵。亦作大泉。類經。聚英。以下諸書。終以為一名。不是千金註引中風篇曰。腋門在腋下攢毛中。一名泉腋。即淵腋是也。今本無此文。諸風篇有腋門穴。與此文相似。詳于奇穴部。

輒筋甲乙腋下參寸。復前行壹寸。著脇。甲乙淵腋前壹寸。入門

按著。次註。作搓。復。發揮。作腹。聚英曰。一名神光。一名膽募。期門下伍分。陷中。第三肋端。横直蔽骨傍。

貳寸伍分。上直兩乳。側卧屈上足取之。是次註。日月之註文。而神光。膽募。日月之別名也。聚英輒筋下。闕日月穴。蓋脱簡。吳文炳醫統大成。受其誤也。金鑑亦不知其誤。而作從淵腋下行復前壹寸。三肋端。横直蔽骨傍柒寸伍分半。直兩乳。謬妄不可讀。

大包　靈樞 脾之大絡。名曰大包。出淵腋下參寸。布胸脇。靈樞 出九肋間。及季脇端。甲乙 側脇。入門 腋下陸寸。大全 脇下至季肋壹尺貳寸。此穴居其中。增註

按聚英。吳文炳。作免肋間。免疑九誤。

天池　靈樞 一名天會。甲乙 乳後壹寸。腋下參寸。著脇直掖

撅肋間甲乙側脇陷中。入門

按脇。千金。作肋而無參寸字。撅。千金翼。作掘。本輸篇曰。腋下參寸。手心主也。名曰天池。語而不詳次註。作乳後貳寸。入門。作乳外貳寸。金鑑。作乳傍壹貳寸許。骨空論云。撅骨。王氷曰。尾窮謂之撅骨。撅。橛。通用。説文曰。撅。臂骨也。橛。本作䯨。非此義。醫門摘要曰。按禮内則云。不涉不撅矣。撅字。言肋骨形如撅字彙云。撅。揭衣也。肋骨皆如撅何特此穴曰撅肋。或曰。撅與掘通。又轉與崛通。崛通崛起。貞金鑑。作撅起肋骨。按直腋下。乳後有肋骨。稍高大崛起者是也。余嘗剝剝刑屍。觀肋骨。枚枚無所異。不見崛起者按字書曰。搬。投也。蓋此穴逼骨而取之也。腋下参寸。前行壹寸。乃輒筋當肋後共肋前是天池也。大包言側脇。天池言着脇。則以僅着脇部也。脇或作肋。着肋亦通。乳中。天谿。二穴相並然在膺骨陷中。則天谿微高。天池在乳後壹寸。逼肋骨胸鄉。天谿。食竇。諸穴。胸部四行。雖在側脇屬胸部。實是着脇處。則以乳後壹寸取此穴。逼骨。欲投肋下之處也。

章門 脉經 一名長平。一名脇窌。甲乙 一名脾募。千金 一名肋髎。大全 大横外。直臍季脇端。側臥屈上足。伸下足。舉臂取之。甲乙按千金。明堂。作大横文外。文。蓋之誤。千金肺臟篇及千金翼。無文字。季脇者。淵腋直下。肋骨到此其末不似偃月。其骨頭向前。其尖曰端。脇與腹部之交。就脇之所盡曰季脇。而不言季肋者。向後更有小肋也。愈知言季脇之有字法也。京門下注。有季肋之文。可證也。千金。千金翼。外臺。次註。以下諸書。皆作季肋。不辨其義也。神應。類經。大成。作臍上貳寸。兩傍各陸寸。入門。作横取陸寸。資生註。所引難疏及聚英。作兩傍玖寸。皆拘矣。類經又曰。臍上壹寸捌分。兩傍各捌寸半。是帶脈之註。不可從。肘后曰。小肋屈頭也。大全。一名季肋。是京門也。故不取。

類經曰。肘尖盡處是穴。此捷法也。假令用此法。必取季脇端可也。凡用捷法者。說既見醫門摘要曰。類經云。脾募也。按在腹曰募。在背曰俞。募者。募結之義。而經脉結聚于此。俞者輸也。脉氣轉輸于此。也。千金翼曰。多汗。四肢不舉。少力。灸長平五十壯在俠臍相去伍寸。不鍼。而言不鍼者。可疑。千金曰泄痢。不嗜食。雖食不消。灸長谷五十壯。三報。穴在俠臍相去伍寸。一名循際。是天樞。異名。而穴註。與章門同。大全曰。飛虎。即童門也。童章字相似。恐是章門誤。又支溝。一名。又奇穴有飛虎。

京門 甲乙 一名氣府。一名氣俞。甲乙 一名腎募。大成 監骨腰

中。季肋本。俠脊屈上足伸下足舉臂取之。類經

按俞外臺作輸。季肋資生類經作季脇。蓋據素問兩季脇之間。灸之文也。然言兩季脇之間。未辨何穴也。或誤讀章門下註。言季脇也。季脇季肋。說既見監骨。次註作骼骨。又居髎下註云。監骨。次註作骼骨。骼與髂通。監有攝守義。左傳君行則有守。守曰監。監骨攝持腰股之骨也。髂。玉篇腰骨也。曰監骨。曰腰髖骨。曰腰髁骨。由此觀之。監髖髁共髂之轉音同義。古書皆言監骨。蓋古言也。而此穴如與腰骨不相與。而章門當季脇。淵腋直下。則在向後季肋之本。肋末連接腰骨。略屬腰部。故曰監骨腰

中。王太僕監骨下。加與字益通。就脇腹之交。取章門。故曰季脇。向後更有小肋。其本是京門也。即曰季肋。是也。章門曰端。京門曰本。可以見也。千金翼。外臺。與千金同。甲乙作監骨下腰中。挾脊季肋下。壹寸捌分。是以帶脉。註文。混入于此。傳寫之誤。故從千金。折衷曰。以帶脉之法。恐非也。法。疑注誤。可謂能解書也。類經。作臍上伍分傍玖寸半。拘矣。

帶脉 甲乙 季脇下。壹寸捌分。甲乙 陥者。宛宛中。明堂

按千金。千金翼。外臺。作季肋。後人不辨章門季脇之義。妄改作肋也。果其說之是乎。帶脉。當徵。如後而下也。不得取於季脇章門下。神應經曰。季肋下。

壹寸捌分臍上貳分傍柒寸半。類經作臍傍捌寸半。肥人玖寸。瘦人捌寸拘何則肥瘦人人殊如腹便便者。豈得用折量乎。

五樞甲乙帶脉下參寸。一曰。水道傍。壹寸伍分。甲乙陷中

資生

按傍。千金。千金翼。外臺作下。入門作外。自章門至居髎。凡捌寸參分。骨度。季脇至髀樞陸寸。間不可容此四穴。岡本斜從小腹向陰毛際。取此諸穴。恐非也。甲乙。千金。載五樞水道傍。壹寸伍分。一說今量之自季脇章門穴。至五樞。肆寸捌分。章門直臍傍也。水道臍下肆寸也。骨度篇。季脇下。至髀樞。陸

寸。以臍下至横骨陸寸半之寸當之略相同然水道。間府舍説分寸者不穩但取之帶脉下參寸可也。明堂作帶脉下貳寸大成作水道傍伍寸伍分。非也。

維道　一名外樞。章門下伍寸參分。

按類經作中極傍捌寸伍分不可從。

居窌　章門下捌寸參分。監骨上陷者中。

按監骨次註作髂骨蓋內經云兩髂髎者是也髀樞與少腹交腰之處崛起骨謂之髂骨説已見骨度篇曰季脇以下至髀樞長陸寸據此則捌寸參分。當作陸寸參分脇側陸寸之際何容捌寸參分。

髂骨上參分許。陷者是也。謂章門下則維道微前行。居髎。亦傍骨斜下何則帶脈五樞。謂季脇下帶脉下者可見。凡謂髎者取骨罅巨髎顴髎肩髎八髎類可徵也。或取之環跳下股骨頭而合捌寸參分之法。然其上有環跳而屬足部。居髎在其下屬季脇之中。謬誤較然。次註作章門下肆寸參分肆恐字誤。金鑑從維道下行參寸非也。

經穴彙解卷之三　畢

門人

水户醫官清水方敬子考

陸奥　川嶋務　子本

結城　小林宜振子振　同校

水户　田崎廣林子桂